é tudo tão simples

CB079105

DAN
UZA

DANUZA

é tudo tão simples

AGIR

Copyright © 2011 by Zágora Produções Artísticas Ltda.

Direitos de edição da obra em língua portuguesa no Brasil adquiridos pela Agir, selo da Editora Nova Fronteira Participações S.A. Todos os direitos reservados. Nenhuma parte desta obra pode ser apropriada e estocada em sistema de banco de dados ou processo similar, em qualquer forma ou meio, seja eletrônico, de fotocópia, gravação etc., sem a permissão do detentor do copirraite.

Editora Nova Fronteira Participações S.A.
Rua Nova Jerusalém, 345 – Bonsucesso – CEP 21042-235
Rio de Janeiro – RJ – Brasil
Tel.: (21) 3882-8200 – Fax: (21)3882-8212/8313
www.novafronteira.com.br

Consultoria: Pinky Wainer
Foto de capa: Romulo Fialdini
Ilustrações: Rita Wainer
Agradecimento especial: Aline Marzullo

Texto estabelecido segundo o Acordo Ortográfico da Língua Portuguesa de 1990, em vigor no Brasil desde 2009.

CIP-BRASIL. CATALOGAÇÃO NA FONTE
SINDICATO NACIONAL DOS EDITORES DE LIVROS, RJ

L476e Leão, Danuza, 1933-
É tudo tão simples / Danuza Leão ; [ilustrações Rita Wainer]. - Rio de Janeiro : Agir, 2013.
il.

ISBN 978-85-220-1479-8

1. Leão, Danuza, 1933-. 2. Etiqueta. 3. Convivência. 4. Usos e costumes. I. Título.

CDD: 869.98
CDU: 821.134.3(81)-94

Sumário

AGRADECIMENTOS

A Pinky, que fez a capa, além de ter sido minha interlocutora permanente e essencial, e Rita, autora das lindas ilustrações — sem elas esse livro não seria o mesmo; as meninas, além de serem muito muito talentosas, entendem como ninguém minha cabeça e meus absurdos. Trabalhamos juntas, nos falando, rindo, brincando, durante dias, noites e madrugadas, sempre com enorme prazer. Quando percebi, havia caído em um nepotismo esclandaloso, explícito e despudorado — mas sem dinheiro público.

A Romulo Fialdini, autor da linda foto da capa.

A Gustavo Gonçalves, que me cedeu os maravilhosos óculos que estou usando na foto.

A Dani Cascaes, minha guia no caminho das pesquisas de viagens pela internet.

A Haroldo, Carlinhos e Jorginho, meus gatos queridos (os dois últimos batizados em homenagem aos irmãos Guinle), sempre companheiros, sempre solidários.

A Jorge Carneiro, que confiou em mim desde o primeiro momento, e a Leila Name, por sua paciência e profissionalismo.

E a toda a equipe da Ediouro, sem a qual, etc. etc.

INTRODUÇÃO

Há cinquenta anos, um grupo de estudantes se reuniu para pensar em como seria o futuro, mas nenhum deles conseguiu ao menos imaginar o que estava por vir. Fizeram várias previsões e erraram todas, já que nos últimos cinquenta anos o mundo mudou mais do que nos dois mil anteriores. Nós mudamos também; tivemos que aprender a usar o celular e todos os seus *apps*, o computador (se não te acham na hora fecham negócio com outro que está on-line), o iToken, o controle remoto da TV a cabo, o *pay-per-view*, a mandar SMS, e a abrir os e-mails várias vezes por dia. A medicina evoluiu enormemente, a maioria das doenças tem cura, a ciência do "bem-estar" chegou para ficar. Apesar da invenção da pílula, o mundo está superlotado — vai ficar cada vez pior —, e tivemos que nos acostumar, entre outras coisas, às multidões em cinemas, restaurantes, aeroportos, museus, aos engarrafamentos, às praias sempre cheias.

Lembro de quando fui manequim em Paris. Todos os dias, às três da tarde, desfilávamos — eu e mais cinco — para uma plateia feminina acomodada em cadeiras douradas. Isso acontecia em pelo menos mais dez ateliês na cidade, de costureiros famosos. Havia muita gente rica, tão rica e ociosa, que ocupava as tardes de desfile em desfile, para encomendar seus vestidos; como eram feitos sob medida, elas tinham que passar por três ou quatro provas torturantes. Hoje, as lojas da Quinta Avenida, em Nova York, estão sendo alugadas para comércios de marcas mais populares: Stella McCartney fez uma coleção para a C&A, que tem como manequim — e agora também estilista — nada menos que Gisele Bündchen, Lanvin e Versace vão fazer uma coleção para a H&M (marca sueca famosa no mundo inteiro), que já teve como designers Madonna e Sonia Rykiel, e Kate Moss desenha para a popular marca inglesa Top Shop. É o império do *prêt-à-porter* — sabe o que é? Vou explicar: a expressão *prêt-à--porter* vem do francês "*prêt*" (pronto) e "*à-porter*" (para levar). Em termos de moda, se traduz por "pronto para vestir", e foi criado pelo estilista J.C. Weil no final de 1949.

O *prêt-à-porter* foi a democratização da moda, que liberou as confecções e cresceu para uma clientela que não tinha acesso a grandes costureiros, roupas sob medida e preços altos. As roupas nas butiques tinham tamanho 34, 36, 38, 40, 42, 44, agora, são só três: pequeno, médio e grande.

É, tudo mudou, e se antes havia os novos-ricos, agora surgiram os ex-pobres, a tão falada classe C, chegando com tudo no consumo. São eles os que mais compram, passeiam, viajam, gastam e se divertem. Querem acertar, investir, e nunca se venderam e compraram tantos imóveis nem excursões (a empregada de uma amiga fez um cruzeiro com a mãe pagando R$750 em dez vezes). Como sempre, quando se começa a conhecer as coisas boas da vida, eles estão começando também a consumir design, arte, e a fazer curso de vinhos.

Ninguém mais morre, praticamente — se for rico. Foi-se o tempo em que o pai trabalhava, poupava e ajudava cada filho a comprar seu apartamento. Hoje as pessoas vivem muito mais tempo, com mais grana, e querem aproveitar a vida; viajam, e gastam todo o dinheiro que guardaram, e como nos países socialistas, não vão deixar herança. O mundo se socializou sem precisar passar por uma revolução.

As coisas viraram pelo avesso: as modas, os modos, o comportamento, o estilo — ou melhor, os estilos. Como o planeta está superpovoado, e vai ficar cada vez mais, é necessário que as pessoas sejam educadas, para que não se empurrem na hora de entrar no avião ou na fila do supermercado. Não estou falando de etiqueta — aliás, o que é isso mesmo? Se você nunca ouviu essa palavra, dê um Google, nosso amigo de todas as horas. Se estiver com preguiça, aí vai: etiqueta vem de ética, que não é regida por regras, mas só por você mesma, com a liberdade que tem — hoje, mais que nunca. Em quase todas as situações, mesmo as mais banais, as pessoas devem agir sob uma ética própria, que não é imposta, mas pessoal, e para ter ética ninguém precisa de código algum, só de bom senso. Se estiver num shopping com sua amiga e ela disser "que bolsa linda", é possível que você queira a bolsa para você, mas não deve comprar correndo, antes que ela decida. Uma bobagem, mas tudo a ver. Ser ético é não furar a fila do cinema, não tentar pegar a mesa de pessoas que chegaram antes no restaurante, é jamais fazer charme para o namorado da amiga, tá? Se você for gentil com o outro, o outro será gentil com você, e assim o mundo poderá parecer um lugar mais pacífico.

A ética se confunde com a boa educação, que não é luxo, mas artigo de primeira necessidade. Não é preciso ser rico para ser educado; basta ter respeito pelos direitos do outro, o que suaviza as relações. Nos últimos vinte anos minha cabeça mudou, mas não em tudo, já que algumas regras são eternas, e a boa educação nunca sai de moda. Às vezes me pego pensando como antes, mas me ligo. Afinal, estamos em 2011, e a fila está andando.

simplificando

Sinceramente: é possível ter um armário cheio de pratas que você ganhou de casamento, ou herdou de sua mãe, que não vai usar nunca mais na vida, e ter que chamar uma pessoa uma vez por mês para limpar tudo? E jogos de cristais? E porcelanas? Eu tinha, e foi um problema para me desfazer desses itens tão preciosos. Os filhos não quiseram — "Nem pensar", disseram. Acabei vendendo; por nada, mas vendi. Aliás, teria pago para tirar aquele peso da minha vida. Às vezes sinto uma pequena saudade, mas prefiro assim.

Ainda tenho muita coisa para eliminar, mas estou esperando chegar a hora certa. Para que eu quero 12 copos de vinho branco, mais 12 de tinto, mais 12 de coquetel que comprei em Veneza iguais aos do Harry's Bar, mais oito *flûtes* (copos para champanhe) que nunca usei e jamais usarei, seis pares de botas diferentes, 16 suéteres, e nem sei quantas camisetas? Para quê, quer me dizer?

Tenho sempre mais roupas do que preciso, e acabo usando jeans e camiseta, mas um dia desses consigo me livrar delas, Deus é grande.

Andei pensando nessa história de simplificar, e vejo que passei a primeira metade da minha vida querendo ter as coisas — todas as coisas — e estou passando a segunda metade querendo me desfazer das coisas, e ficar apenas com o essencial. Bem curiosa, a vida.

Continuando: num feriado chuvoso, tome coragem, abra todos os armários da cozinha e jogue fora, sem medo, tudo que você não usa, verdadeiramente, tipo aquele ralador de gengibre comprado em Los Angeles, durante a Copa nos Estados Unidos, lembra, Xexéo, que eu te dei um igual? Todos os eletrodomésticos que nunca foram usados, não são nem nunca serão, vão para o lixo, sem piedade, e os que estão quebrados e não têm conserto, também. Por que você, que mora só, tem que ter uma batedeira?

Uma coisa importante eu já fiz, e nunca me arrependi: há uns sete, oito anos, vendi meu carro. Como moro num lugar muito prático, onde tem tudo em volta, ando a pé, oh, felicidade. Mas acho também que fiz isso prevendo, de certa maneira, o futuro. Eliminar o carro e só andar de táxi, ônibus ou metrô, é das melhores coisas do mundo. O melhor mesmo é não pensar em IPVA, nos pontos na carteira, nas vagas para estacionar, nos flanelinhas, no bafômetro. Vejo as pessoas que têm carro saindo à noite cada vez mais de táxi, para poderem beber um pouquinho. Ter carro, dentro de algum tempo, será coisa do passado. Não foi à toa que um prefeito de Nova York declarou que as prioridades, na cidade que governava, eram: em primeiro lugar, andar a pé, em segundo, de bicicleta, em terceiro, de metrô.

Você pode tentar morar perto do trabalho, o que nem sempre é possível, ou trabalhar em casa, mas a melhor escola para os filhos deve ser a mais próxima, a não ser que haja motivos sérios; hoje em dia as crianças ficam horas na van escolar, correndo riscos.

Agora, para simplificar MESMO a vida, é preciso se livrar do mais complicado: as roupas. A primeira coisa a fazer, para ter um armário em perfeita ordem, é comprar dúzias de cabides, todos absolutamente iguais e da mesma cor. Ok, de dois tipos, um para saias e calças, e os normais. E aqueles horrendos, que vêm com a roupa da tinturaria, lixo, na hora. Sem cabides iguais, não dá nem para dormir direito.

Há quem compre muito — já foi meu caso —, e os armários vão se enchendo, se enchendo, se enchendo. Mas esvaziar um armário é das coisas mais difíceis que existem, eu que o diga. Primeiro, suas próprias dúvidas: esse vestido tão lindo, será que a moda não vai voltar? Mas é possível alguém de bom senso ter 12 calças pretas? E os sapatos, as bolsas, os cintos, os lenços? A filha não quer, a filha da filha acha tudo careta, é um pecado dar uma camisa Saint Laurent para a faxineira, olha o problema. Dizem que o critério é: tudo que você não usa há um ano deve sair, mas as coisas não são assim tão fáceis.

Se você tiver uma amiga que pode te dar uma força, é maravilhoso; e se essa amiga, além de tudo, quiser comprar suas inacreditáveis roupas, melhor ainda. Isso não se faz muito no Brasil, mas na Europa é comum. É por isso que existem, em Nova York, Paris e Londres, tantas lojas vintage, onde as elegantes vão procurar peças únicas e preciosas, que não se encontram mais em lugar algum do mundo. É o que a nova geração está fazendo, criando pelos blogs os novos brechós.

Agora eu faço assim: compro alguma coisa para o verão — pouca —, quando a estação acaba me livro de tudo, e no inverno nem compro, é raro. Outro dia encontrei uma sacola de lona com produtos de maquiagem que nunca cheguei a usar, do tempo em que nem um lápis de olho se encontrava no Brasil, e olha que isso tem vinte anos. Resultado: lixo.

Não perca seu tempo comprando (ou guardando) aquele vestido porque um dia vai emagrecer. Sabe quando isso vai acontecer? Provavelmente nunca, e a cada vez que olhar para aquela roupa de quando era um palito vai cair em profunda depressão. Nem é um problema de ter engordado, mas com o tempo o corpo muda; se você olhar uma radiografia de alguém aos vinte anos, e depois outra, da mesma pessoa, aos sessenta, mesmo que ele tenha o mesmo peso, vai haver diferença.

E mais: também não adianta guardar um blazer ou uma camisa branca, pois os cortes mudam, os ombros mudam. Quando você quiser outro blazer ou outro vestidinho preto básico, vai e compra um novo. Aliás, não existe o tal pretinho básico. Quanto mais básico, mais elaborado no corte, e quanto mais com cara de nada, mais caro é. E com o jeans também é assim.

Mas quase tudo que é caro você pode comprar mais barato: a Zara tem tudo praticamente igual, por um décimo do preço. Como você fica quando compra um vestido de Saint Laurent ou Stella McCartney caríssimo, e duas semanas depois vê o mesmo na arara da C&A? Só cortando os pulsos. O perigo é que neste tipo de loja é tudo tão barato, que você acaba levando vinte coisas e usando só duas, mas faz parte.

E o que fazer com os CDs e os livros? Agora todas as músicas estão no computador, no iPod, e você compra baixando pela internet. Mas e os livros? Vamos guardar os mais queridos e preciosos; os circunstanciais, basta baixar no Kindle ou no iPad. Aliás, como arrumar livros numa estante? Separe assim:

- Ficção
- Não ficção
- História
- Biografias
- No idioma original, a não ser os russos etc.

Obras de arte: hoje tem pôsteres, réplicas, tudo, nas lojinhas dos museus, e assim pode-se mudar de decoração sem gastar muito. Mas se você tem um Portinari, vai guardar no armário?

Existe uma cidade na China onde toda a população se dedica a reproduzir pinturas dos grandes mestres. Então eles espalham pelo mundo quadros de Monet, Piero della Francesca, Matisse, o que você quiser. Outro dia vi a tela *A Africana*, de Albert Eckhout, pintada no Brasil no século XVII. Linda. Igual, igual, mas eles não resistiram: a africana tinha olhinho puxado.

Mas contrariando tudo que disse antes, adoro um anúncio antigo da Cartier. É a foto de uma joia fantástica, com a legenda: "Quem tem uma cópia a merece."

o que eu não faço mais

Houve um tempo em que eu aceitava quase todos os convites que me faziam: não tinha a coragem de dizer não. Mas aprendi, e hoje consigo, rapidinho, inventar uma desculpa, tipo "Vou para São Paulo" é das minhas prediletas, nela todo mundo acredita, e tem sempre o atraso do avião, o voo que foi cancelado, enfim, as companhias de aviação são sempre as responsáveis por tudo. Mas quando você tem coragem de dizer a verdade, a vida fica mais simples e bem mais fácil. A minha ficou. Só não vale dizer "Dia 18 vou estar doente".

Não vou a festas, nem a jantares de lugares marcados, nem a lançamento de livros, mas quando é livro de amigo, vou; não entro na fila, mas dou um adeusinho de longe, para ele saber que fui. Aliás, lançamentos de livros têm tudo a ver com missas de sétimo dia. O fundamental é o acontecimento ser ou não um sucesso —

o acontecimento, não o livro, que não tem a menor importância. E tem sempre um grupinho na calçada comentando: "Que coisa incrível, que prestígio, até Fernanda Montenegro veio." Ou então: "Estou impressionado, não veio ninguém." E daí, saem para jantar num restaurante, enquanto o pobre autor vai para casa com uma tendinite, e passando mal com o vinho branco, doce e quente que tomou.

Sobre jantares de lugares marcados, estive há anos em um jantar inesquecível, nas altas rodas de Londres. Eram duas mesas de oito pessoas. De repente, antes da sobremesa, os homens se levantaram, e "pularam" a mulher à sua direita e "andaram" uma cadeira, onde se sentaram. Genial: para que todos conversassem e não ficassem naquela camisa de força, confinados a falar apenas com o par da direita e o da esquerda, que podem ser chatérrimos, eles trocavam de lugar. Acho a ideia maravilhosa, e viva os ingleses.

Também não costumo ir a lugares de onde não possa sair sem me despedir.

Às vezes acontece, mas odeio mesas com mais de quatro lugares; são no mínimo dois assuntos que se cruzam, não costuma dar certo.

Não vou a restaurantes que estejam na moda, você já sabe por quê.

Não viajo em classe econômica, é um problema de direitos humanos, depois dos 45. Assim que volto de viagem compro outra passagem em cinco vezes, no cartão. É uma despesa fixa que tenho, como condomínio, luz, gás, etc.

Nunca mais vou telefonar para meu *personal trainer* jurando que dessa vez é para valer. Adoro nadar, fazer pilates, encaro uma musculação, mas odeio andar. Até ando, mas sem ter hora marcada três vezes por semana.

Não passo fim de semana fora de casa; sábado e domingo não tem empregada, não vem ninguém consertar nada, minha cama fica desarrumada, que delícia, não recebo visitas, e como não tem nada na geladeira, aproveito para fazer dieta. Se às seis da tarde de domingo sinto que vou desmaiar de fome, saio para almoçar.

Não aceito nenhum convite, seja para o que for, se no lugar não passar táxi, para não depender de carona e poder ir embora na hora que quiser. Adoro um táxi.

Não vou a cinemas à noite, só na sessão das duas da tarde, tendo comprado a entrada pela internet, e sozinha, para não ter que comentar o filme. Tem gente que comenta a sério, odeio.

Não entro em shopping.

Não frequento pousadas.

Evito sair com quem não é pontual, nada pior do que esperar, seja pelo que for, ou por quem for.

Às vezes recebo um convite, não quero ir e fico me remoendo achando que vou fazer a maior falta, que todo mundo vai notar e a dona da casa vai ficar tristíssima, mas, pelo que me contam no dia seguinte, percebo que não fiz a menor falta. Como a gente se acha importante.

Mas vou a eventos de gente de quem eu gosto. Por amizade. Se for ao vernissage de um amigo artista, dica: entre na galeria, escolha um quadro, chegue para seu amigo artista e diga: "Amei os trabalhos, mas aquele vermelho ali eu roubaria, de tão lindo."

E agora que você sabe tudo o que eu não faço mais, faça sua listinha pessoal de tudo o que você ainda faz, mas não pretende fazer nunca mais.

nós, mulheres

A vida da mulher se divide em três fases. A primeira, quando é uma gatinha; a terceira, quando já desistiu de encontrar o amor de sua vida, e a segunda, a melhor de todas, que vai até — bem, até quando, depende de cada uma. Há ainda as que não têm idade, as chamadas *ageless*. Mas antes de falar dessas, quero declarar que, como bem disse Rita Lee, as mulheres são todas um pouco loucas, aos 18 se acham velhas, aos 22, caquéticas, e aos 30, acabadas, mesmo as que nunca leram Balzac. Além de loucas, eu diria que, no quesito idade, somos quase ridículas. Se você ainda não sabe, a idade de ouro das mulheres, nos dias de hoje, é entre 45 e 55. É quando ela pode desfrutar da vida com maturidade e liberdade, sem querer o impossível, e valorizando muito mais o possível. E se ela se cuidar, vai continuar linda e sexy.

É dessa mulher que eu vou falar: ela se casou pelo menos uma vez, teve seus filhos, que já cresceram, algumas até netos, e agora pode viver uma segunda juventude melhor que a primeira. Porque sabe o que quer, tem a liberdade que não tinha, é dona de seu nariz e já não tem mais tantas ilusões, como a de que um dia vai aparecer um homem maravilhoso, montado num cavalo branco, com uma única missão: fazê-la feliz.

Se ela está na faixa 40/50, não é pelos mesmos critérios que tinha aos vinte que escolhe um homem. Nenhuma mulher mais esclarecida quer um homem dependente; ela sabe que um amor legal é aquele em que os dois são fortes para enfrentar qualquer coisa, inclusive ficarem sós, se a relação terminar.

Algumas destas mulheres são casadas, com o mesmo marido ou com outro. Elas sabem o que querem, têm a liberdade que não tinham e são donas de seus narizes — bem, para isso, se paga um preço. Mas as coisas são um pouquinho diferentes, pois cada casal tem um código, e quanto mais claros eles são, mais chances de ter uma relação feliz, duradoura e até, quem sabe, eterna.

As mulheres mudaram muito mesmo ao longo das últimas décadas: algumas não querem nem ouvir falar em casar e ter filhos, coisa que até uns trinta anos atrás era quase obrigatório. Elas se deram ao direito de fazer escolhas, no lugar de fazer tudo como havia sido combinado, e estão certas; só precisam saber mesmo o que querem, que é o mais difícil.

Li num livro que, se aos vinte você fez tudo que esperavam de você, isto é, casar, ter filhos, ser uma boa moça, ter um bom trabalho, etc., quando chega aos trinta, pensa: "Fiz tudo que queriam que eu fizesse e não sou feliz." Aí se separa, se tem cabelo crespo alisa, se é comprido corta, troca a cor, vai para a academia, muda tudo e diz: "Agora vou fazer tudo do meu jeito." Cai na vida, namora bastante, troca de profissão — normalmente larga uma com diploma, tipo advocacia, medicina etc., e vira fotógrafa, artista, produtora de eventos, por aí. E quando chega aos quarenta pensa: "Fiz tudo como eu queria, mas ainda não estou feliz" — e começa tudo de novo.

Também existe quem faz o caminho contrário: aos vinte faz tudo o que quer, é solteira, sem profissão definida, ou tem uma profissão bem descolada, viajando, sei lá. Quando chega aos trinta, diz: "Puxa, fiz tudo o que quis e não estou feliz, agora vou fazer tudo o que esperam de mim." Casa, tem filhos, arruma um bom emprego e aí chega aos quarenta, e por aí vai.

Essa mulher pode tudo, praticamente, mas se começar a ser tratada por "senhora" (ou, pior, "tia"), cuidado: é hora de se olhar no espelho e ver o que precisa ser mudado. Lembre-se de que tudo é possível, a vida é maravilhosa, você é jovem e ao mesmo tempo madura, e é assim que deve continuar. Mas, quando perdemos a vontade de nos vestir e de nos maquiar, é o começo do fim. Vamos continuar, sempre, querendo mudar, mas para isso algumas coisas podem, outras não podem, outras devem, outras não. Vamos lá.

PODE

- Sair às vezes do seu estilo, usando uma coisa — só uma — bem excêntrica, como uma bata chinesa, um camisolão mexicano ou africano; mas em casa, só em casa.
- No lugar do preto, usar e abusar do azul-marinho, para variar.
- Usar uma bijuteria exagerada, mas um tipo só, ou colar, ou brincos (antigos, de preferência), ou muitas pulseiras, ou muitos anéis, mas não precisa ser uma Elke Maravilha. Se tiver herdado um anel de brilhante, pode usar quando for à ginástica, jamais a uma festa. Ou deixe para usar quando viajar para o exterior, se for para um país de Primeiro Mundo — para não voltar sem ele.
- Jeans, jeans, jeans, sou louca por eles, tenho vários. Com um bom jeans e uma bela camisa, dá para encarar o mundo, e um jeans pode ser usado com tênis, botas, mocassins, sandálias com pedras, salto alto, tudo; não dá para viver sem.
- O sapato tem que ser sempre de excelente qualidade; já com a bolsa, dá para brincar. Tem melhor do que encontrar uma linda, numa butique desconhecida, que ninguém vai saber se é da C&A ou da Hermès? Ficar na lista para ter a bolsa da moda é de uma total

falta de imaginação: ou você tem bala na agulha para furar a fila, ou é pobre. É como quando alguém pergunta quanto custa para manter um iate: quem pergunta não tem dinheiro suficiente para ter um. Quem tem uma Ferrari mas não deixa o manobrista do Antiquarius manobrar, então não merece ter.

• Use às vezes um sapato rosa-shoking, só para perturbar o ambiente.

• Se puder, vá passar 15 dias em Paris sozinha, e só conte na véspera, para que nenhuma amiga resolva ir também.

• Elimine do seu vocabulário a palavra "neto" – "netinho", nem pensar – e faça com que eles a chamem pelo nome.

• Você tem que tomar uma decisão: engordar e ser feliz, ou ficar magra? Comer e emagrecer, tipo sanfona, dá trabalho. Seu metabolismo vai ficando cada vez mais lento, e para perder dez gramas é preciso cinco vezes mais esforço do que aos 25/35. E depois dos quarenta, é um quilo por ano, aos cinquenta são mais dez, que inferno; mas, em viagem, relaxe e coma tudo o que quiser.

• Como você não deve ter empregada fixa, quase ninguém tem, fica mais fácil, e seu jantar deve ser, sempre, uma folha de alface – pequena – e um copo de água. Só.

Vou confessar: às vezes tenho inveja das muçulmanas, que devem ser muito felizes. Não fazem ginástica, podem se dar ao luxo de comer o que querem e não estão nem aí para um pouco de barriga e pneuzinhos laterais, sem ter que se apertar num jeans skinny ou se equilibrar em cima de um salto altíssimo. Como devem ser felizes, e que vontade de usar uma burca e nunca mais pensar em moda. Elas podem ser vistas aos montes em Paris, no VIIIème, no triângulo Montaigne/ François 1er/ Georges V. Mas as muçulmanas ricas usam, por baixo das burcas, as grifes mais caras do mundo, e mais maquiagem, cremes e perfumes, como se não houvesse amanhã, e nenhuma delas é magra. São famosas pela lascívia, as lingeries das moças, que têm seus próprios fornecedores, e já vi um livro com fotos delas inacreditáveis, de fazer corar. E as barrigas são fundamentais na dança do ventre. Já pensou numa dançarina de dança do ventre com barriga tanquinho?

Mas, falando sério, como fazer para ser magra, já que somos obrigadas? Não comer nada, nunca mais.

E o que fazer para permanecer magra, depois de chegar ao peso ideal? Não comer nada, nunca mais.

Não adianta: para poder comer e beber razoavelmente sem engordar (demais), são quarenta minutos de aeróbica, quatro vezes por semana, ou corrida, ou bicicleta, ou esteira, fora a musculação para osteoporose e pilates para a postura. Enfim, um saco.

E vamos deixar claro: o dia da mulher — e só o dela — merecia ter quatro horas a mais, para dar tempo de ler os jornais, os e-mails, fazer esteira, caminhar, arrumar o cabelo, a maquiagem, tuitar, conversar com os filhos, fazer charme para o namorado ou o marido, até mesmo trabalhar, tudo sem angústia ou culpa. Que mundo mais injusto.

Olhar distraidamente para um espelho e ver um monstro é de matar, e isso já me aconteceu. Eu ia andando pela rua, olhei para uma vitrine, me vi mas não me reconheci, tal a minha postura corporal; eu parecia ter 150 anos. No mesmo dia entrei para uma aula de pilates, três vezes por semana; fui aprendendo a andar, a me sentar, coisas tão simples e tão básicas que deveriam ser ensinadas nas escolas. Eu tinha dor na coluna e andava sempre com um anti-inflamatório na bolsa. Hoje, que faço cinco aulas por semana, sou outra pessoa, e nem lembro que tenho coluna. Postura corporal é a coisa mais importante que existe, mais do que pintar o cabelo, fazer dieta ou uma plástica, comprar um vestido novo; é o primeiro item a ser corrigido, se preciso. Como vai você, nesse quesito?

NÃO PODE

- Sair de casa horrenda; e se encontrar o ex com a atual? Aliás, ficar em casa horrenda também não pode. Esteja sempre impecável para você mesma, a pessoa mais importante de sua vida.
- Minissaia, shorts curtíssimos, mesmo que suas pernas arrasem.
- Grandes estampados em geral.
- Colar e brincos de pérolas combinando, muito careta.
- Maquiagem demais, porque envelhece.

• Sapato caro, vestido caro, bolsa cara e joias caras. Coisas caras, só uma de cada vez. Chique demais pode ser fatal, e parecer rica – tem mais brega?

• Nada que seja identificável como grife, quer se trate de bolsa, sapato, saia, camiseta, malas, joias, coisas que todo mundo olha e já sabe o preço.

• Cuidado: como o dinheiro compra tudo, qualquer pessoa que tenha dinheiro pode ter tudo. Se você quer se sentir especial – e quem não quer? –, deve procurar ter lindas coisas, como bolsas, lenços e joias, a que só poucos têm acesso. Daquela lojinha étnica em Paris, ou daquela joalheria Solange Azagury Partridge, em Londres, ou roupas do mais puro algodão e com cara de "nada", da grife japonesa 45rpm, que só tem em Tóquio e em Nova York.

• Mesmo que seus peitos sejam lindos – com ou sem silicone –, jamais saia com eles balançando, sem sutiã.

• Se for tentada a comprar um tubinho de paetês, junte todas as suas forças e resista.

• Dizer que não entende nada de redes sociais ou de engenhocas como iPad e iPod, que tem horror a todas essas tecnologias, não dá. Se você parou no tempo, fique muda, não confesse, jamais; eu parei, mas não conto para ninguém.

• Por sinal, jamais diga "no meu tempo".

- Contar histórias de filhos.
- Mostrar a foto do netinho; crianças em fotos são todas iguais.
- Ter atitudes autoritárias e masculinizadas, mesmo que seja presidente de uma metalúrgica; não se esqueça, nunca, de que você é mulher.
- Sair para almoçar ou jantar com mais de uma amiga; grupinhos de mulheres são fatais, melhor ficar em casa lendo um livro. Mas será mesmo? Hoje elas até se juntam e dizem: "Vamos sair só nós, as meninas." Essas costumam ter um homem em casa, esperando por elas, ou eles foram jogar futebol com os amigos, mas existem as que se encontram uma vez por mês só para falar bobagem, vão para o bar, para a balada, bebem, se divertem, às vezes levam um amigo, um só, para quando precisam de uma informação masculina. Eu tenho uma amiga que, quando foi chamada por outra para jantar, foi logo perguntando: "Com ou sem marido?"
- Depois dos quarenta, mesmo que tenha um só pensamento – encontrar um homem –, não faça disso um assunto. Mas se estiver mesmo louca por um namorado, frequente os supermercados sexta e sábado à noite; se for preciso, alugue uma criança e leve a um teatrinho infantil, é lá que estão os pais recém-separados e ainda vulneráveis, com os filhos.

Outro dia liguei pelo Skype para Josée, uma amiga que mora em Paris. Ela me contou que há dois meses estão trocando o elevador do edifício onde ela mora — no sexto andar —, que a obra ainda vai durar 45 dias, e ela se organizou assim: só sai uma vez por dia, e sobe as escadas bem devagarzinho. Eu, que tenho horror a uma escada, perguntei, escandalizada: "Mas como é que você está aguentando?" E ela, sábia, me respondeu: "No lugar de pensar nisso o tempo todo e infernizar minha vida 24 horas por dia, só penso na hora de subir — e, além disso, meu médico disse que faz muito bem à saúde." Bela lição, e por falar em lição, aí vai outra, de autoria de Ingrid Bergman: "Para ser feliz, é preciso ter uma boa saúde e uma péssima memória."

DEVE

Se você partiu para uma carreira solo, na hora de decidir onde morar, nada de lugares ermos. Seja prática: melhor morar num quarto e sala que seja perto de uma padaria, uma banca de jornal, um supermercado, uma farmácia, e onde passem muitos ônibus do que numa supercasa maravilhosa mas longe do agito; morar longe, só quando se está casada, e enquanto se é feliz.

Procure estar por dentro dos acontecimentos, para não ficar totalmente *out* numa conversa; leia pelo menos um jornal por dia (os meus são de papel de verdade, adoro), ou no iPad, ou no laptop, ou no computador, e veja um telejornal, no mínimo. Pergunte, se informe, seja sempre curiosa, interessada em tudo, seja no que for, e tome cuidado com o tédio. O tédio mata mais que qualquer doença.

Compre muitas revistas de moda, que devem ser olhadas com a maior atenção do mundo, para sentir as tendências, refletir sobre o que pode ou não pode usar. O melhor das revistas são os anúncios luxuosos, já que editoriais de moda são como textos de convite de exposição de pintura abstrata: ninguém entende nada.

Na hora de comprar, esteja segura; na dúvida, não compre, e tendo certeza, ainda assim, duvide. O grande segredo é conhecer seus limites.

Se numa noite cometeu uma loucura e foi parar na casa daquele homem por quem achou que se apaixonou perdidamente, quando acordar, seja a que horas for, recolha suas coisas e saia em silêncio, sem que ele veja. Nada mais desagradável do que acordar ao lado de um desconhecido de quem não sabe nem o nome. É sempre melhor acordar em sua própria cama, e sozinha, para não ter que conversar (e ter que oferecer um café, cruzes). Essa etiqueta é complicada, e muito pessoal.

Sua casa deve estar sempre impecável, pronta para receber seu príncipe encantado, se ele aparecer sem avisar. É difícil que isso aconteça, mas nunca se sabe.

Na geladeira, tenha sempre Coca-Cola, guaraná, uma garrafa de vinho branco, uma de vodca e uma de champanhe a postos para o que você inventar que deve ser festejado. Melhor: duas de vinho branco, duas de vodca e duas de champanhe.

Se você vive de dieta, é impossível ter coisinhas de comer para oferecer, além de pacotinhos de pipoca (light) para fazer no micro-ondas — ouvi dizer que é facílimo; mas, na agenda, é bom ter os números de telefone de várias delicatessens que poderão resolver qualquer problema.

Se você mora só, o fundamental é aprender a se curtir, a ficar em silêncio, a ser dona de seus pensamentos, de seus momentos. Mesmo que seja casada e tenha cinco filhos, arranje um tempo que seja só seu. Se for difícil, vá para a sala quando todos estiverem dormindo, acenda as luzes e usufrua dessa paz, todo mundo tem esse direito; para isso, ponha um sonífero no copo de água do seu marido. Maridos odeiam ver as mulheres sozinhas, pensando. Se você é casada, acorda com insônia às três da manhã, e resolve ir para a sala, ou beber um copo d'água na cozinha, TODOS os maridos do mundo acordam e perguntam: "Aonde você vai?" Você responde qualquer coisa, e eles dizem: "Não demora, tá?" Essa pergunta merece respostas do tipo: "vou jogar boliche", "vou dar uma volta", "vou ao dentista" etc. Se eu não puder ficar sozinha, tenho um treco.

No primeiro encontro, escolha: ou decote, ou barriga de fora, ou perna de fora. E nos outros também.

As extremidades devem estar sempre impecáveis; por extremidades, compreendem-se pés, mãos, cabeça – por fora e, se possível, por dentro.

E fique atenta na hora da separação, que deve acontecer dentro da maior ética, educação e civilidade. Isso vale para ambos.

Por falar em separação, é importante que haja uma quarentena para que os novos solteiros voltem a se mostrar em público, já com seus novos amores. Apenas uma questão de delicadeza.

NÃO DEVE

Fazer parte de um grupo de pessoas muito mais velhas ou muito mais jovens, para não ficar descompensada.

Cuidado com as oncinhas, elas podem ser coisa de perua, ou datadas, mas quem resiste? Se você não consegue, algumas regras básicas: com oncinhas é necessário evitar grandes argolas, pulseiras farfalhantes, colares, anéis, em suma, bijuterias. A oncinha em particular deve ser de altíssima qualidade, e todo o resto também – para não ficar vulgar –, e nunca com acessórios que lembrem um safári, tipo uma pulseira de marfim; a comercialização do marfim, aliás, foi proibida nos Estados Unidos em 1989, então o que fazer com minhas maravilhosas pulseiras compradas há séculos em Dakar? Diane Vreeland, a famosa editora da Harper's Bazaar, estava sempre com as dela; as minhas, botei numa caixa de vidro em cima de uma mesa, pois elas agora são peças de museu, mas uso em casa, ou quando saio com pessoas não ambientalistas e que vão achá-las lindas. Afinal, não fui eu quem matou o elefante.

E atenção ao perfume, de preferência não: que tal uma colônia suave, fresquinha, que faz você ficar com cheiro de quem acabou de sair do banho? Cleópatra se perfumava o tempo todo, e foi das primeiras mulheres a utilizar o perfume como "arte da sedução". Mas ele se tornou comum na Europa porque, como não havia banheiros, as pessoas tentavam disfarçar o cheiro do corpo com perfumes de odor forte. Sinceramente: tem pior?

vocês, homens

Vamos começar declarando que os homens são o máximo, e que sem eles nós, mulheres, não somos rigorosamente nada. Mas vamos fazer justiça: as mulheres são umas santas, que não querem nada da vida, a não ser o básico. Para umas, o básico é um teto, isto é, um apartamento que mesmo pequeno é dela. Para outras não é um teto, são vários: apartamento no Rio de frente para o mar, mais um em Paris, outro em Nova York, casa na Toscana, villa em Cap Ferrat, casa em Angra etc. etc. Isso mostra como somos todas tão iguais, e também tão diferentes.

E eles? O que querem os homens? Ah, se as mulheres soubessem. Depende da idade, da situação econômica, da crença no amor — ou da descrença total —, da preferência entre ficar só ou acompanhado (conheço alguns que teriam horror a morar com uma mulher), das suas experiências anteriores, enfim, de muitas coisas — e do momento. Homem e mulher que se encontram é questão de acaso, de estarem os dois procurando a mesma coisa, o que, vamos combinar, fácil não é. Então vamos, todos, continuar tentando, pois as tentativas costumam ser muito prazerosas.

Depois dessa declaração básica sobre homens e mulheres, voltemos à realidade, fazendo um pequeno comentário sobre a diferença entre brasileiros e franceses, por exemplo.

Eu tenho um amigo francês que, quando sai pela primeira vez com uma mulher, se interessa por ela e intui que poderá se apaixonar, já na manhã seguinte telefona para um amigo e conta, todo feliz, que encontrou uma mulher maravilhosa e acha que, dessa vez, é para valer. Já o brasileiro; bem, quando ele encontra o amigo, ouve logo a pergunta: "E aí, rolou?" (A palavra que ele usa não é "rolou", vocês sabem qual é.) Mesmo que esteja pensando nela, quase apaixonado, nunca vai dizer, e para ficar à altura da pergunta que ouviu, vai responder: "É claro", num tom de voz totalmente vulgar — aquele tom que se ouve quando um grupo só de homens está conversando, com a barriga encostada no balcão do botequim, geralmente às gargalhadas.

Ok, o tempo passou, somos todos modernos, mas essa pergunta é muito cafajeste, e mais: se o homem em questão se interessou pela moça da véspera, achou que ela é bacana, não vai dizer isso a ninguém. Machão não se apaixona e, se isso acontece, tem que mudar de turma e de bairro, de tanta vergonha.

Algumas regrinhas para que a relação mulher/homem — enquanto existe — seja mais prazerosa. Afinal, mesmo que eles não queiram nunca mais se ver, estiveram juntos uma noite, talvez tenham compartilhado dos mesmos lençóis, e não há por que se tratarem como inimigos.

Se você saiu no meio da noite, com ela ainda dormindo, um bilhetinho cai bem; não precisa ser uma declaração de amor, basta qualquer coisa tipo: "Gata, você é demais." Com quatro palavras que não comprometem nada, você faz uma mulher feliz, e isso não é bom? Mas se ela dormiu na sua casa e você teve que sair cedo, deixe um bilhete dizendo algo como: "Tive que sair cedo, tem iogurte na geladeira. Espere por mim, se não der, bata a porta quando sair." Simpático, não?

Cuidado com o que diz; o "eu te telefono" é capaz de levar certas mulheres à loucura, e, se você não tem nenhuma intenção de ligar, fique no "a gente se vê", ela vai entender. Mas se você pretende mesmo telefonar, não custa dizer quando — "te ligo amanhã à noite", ou "te ligo sábado" —, uma certa precisão é sempre bem-vinda. Eu tenho uma amiga que se apaixonou, e até casou, porque ele telefonava na hora que combinava. Ela já estava sofrida de tanto esperar em casa por telefonemas que não aconteciam; isso antes do celular, claro.

O problema é que homens e mulheres falam idiomas diferentes. Quando ele diz "eu te amo" está querendo dizer "vamos para a cama", mas ela entende ao pé da letra, e, pior: acredita.

Quer saber o que é uma bela sedução, e original? Numa festa, se pintar um clima, chegue perto dela e diga, olhando bem nos olhos: "Ainda vou casar com você." Esse *ainda* exclui qualquer compromisso. Ela vai pensar "esse cara é louco", mas vai gostar e ficar intrigada, e isso não é bom?

Os homens estão ficando muito vaidosos. Entre no banheiro de um deles e vai levar um susto com a quantidade de cremes, loções pós-barba, colônias, tudo importado. Eles vão ao salão fazer as unhas do pé e da mão (as moças agradecem), fazem limpeza de pele e os consultórios dos cirurgiões plásticos estão bombando com a nova clientela. Eles tiram peito (os que têm), botam prótese nos bíceps, no peito e na barriga, para parecerem mais fortes, dão uma puxadinha suave na cara e tiram as bolsas de debaixo dos olhos, além de implantar cabelo — e de pintar, é claro, como os políticos do Maranhão, Pará e Paraná. Mas precisam ter cuidado: uma plástica malfeita numa mulher pode ser disfarçada com a maquiagem, os cabelos, mas a deles não. Ah, e ainda tem essa: a região da barba vai até atrás das orelhas.

Não deveria precisar dizer, mas outro dia eu vi um homem de unhas pintadas com esmalte incolor, quase desmaiei.

Já os sapatos devem sempre estar perfeitos; podem ser velhos, mas devem ser muito bem-engraxados, e aposto que tem gente que nunca ouviu falar em graxa de sapato, nem em flanela para dar o brilho final. Eu tenho um amigo, Julio Rego, que traz as graxas e as flanelas de Londres, e mais: do Lobb, o melhor sapateiro (masculino) do mundo.

Homens gostam que você deite a cabeça no ombro deles e diga, bem mansinha: "Você me acalma tanto." Pronto. Não precisa de mais nada, eles adoram ter o poder nas mãos. Com razão, né? E assim caminha a humanidade, com as mulheres trabalhando, ganhando seu dinheiro, e as mais sábias fazendo suas compras (mesmo com seu próprio dinheiro), mas escondendo tudo dentro da bolsa ao voltar para casa. Isso não é traição. É um ato de amor e de preservação do casamento.

Ontem ouvi de um homem solteiro e cobiçado: "Elas que se cuidem, tem quatro milhões de mulheres a mais do que homens no Brasil, e elas estão muito agressivas." De acordo com o IBGE, o *Bra-*

sil tem 92,4 milhões de *homens* e 97,5 milhões de *mulheres*. Ou seja, 0,95 homem para cada mulher.

E esses homens estão mesmo muito modernos. Conheço um que diz: "Detesto mulher que não me telefona no dia seguinte", que tal?

Pensei em falar sobre ciúmes, mas acho que é um sentimento tão ultrapassado, que não há nada para ser dito; mas precisa ter um pouquinho, só um pouquinho, para não parecer indiferente.

E conselho final: pelo sim, pelo não, negue sempre.

e o amor,
onde fica?

Difícil falar de amor, mas pelo que tenho ouvido, algumas coisas mudaram. Tenho uma amiga que antes de começar qualquer namoro procura saber o CEP do rapaz. Busca no Google e quase sempre dá para ter uma boa ideia da vida dele, onde trabalha etc. Se for na mesma cidade, não há hipótese de ela encarar. São Paulo, para ela, é o ideal, mas sua felicidade foi total mesmo quando ela namorou um que trabalhava numa plataforma da Petrobras: ele ficava embarcado vinte dias, tinha vinte de folga e embarcava de novo. Detalhe: ele não podia perguntar o que ela tinha feito naqueles vinte dias, e como estava embarcado, não tinha nada para contar mesmo. Ela me disse que nunca foi tão feliz, com dia certo para estar totalmente solteira e dia certo para estar acompanhada, digamos. Eu acredito, e acho essa uma fórmula maravilhosa para que o amor seja eterno — e nem assim o dela foi.

O amor é bom quando começa, e é péssimo quando termina, mesmo para aquele que está querendo ir embora. E nem sei o que é pior, levar um fora ou dar um fora. Tão bom, nos tempos antigos, em que os noivados eram terminados por carta; mas ficou combinado que o certo é falar pessoalmente, olhos nos olhos, uma situação.

Homens e mulheres deixados, dos 15 aos cem anos, na hora final pensam a mesma coisa: "Nunca mais vou arranjar outro(a)." Não adianta a beleza, o charme, a inteligência, quem é deixado acha sempre que nunca mais. Apesar de tudo, quem leva o fora, por mais que esteja sofrendo, tem algumas obrigações: não fazer cara de triste, não esticar a conversa, não discutir a relação, e mesmo que sejam quatro da manhã, dizer que tem hora no cabeleireiro e sair rapidinho. Se o outro quiser explicar, dizer: "Vai, mas não explica." Explicação não resolve nada. Para não prolongar o sofrimento dos dois — porque o que deixa também sofre; pouco, mas sofre —, deixe para chorar bastante na calçada, se for o caso.

Se estiver doendo muito, vale lembrar de María Félix, uma das mulheres mais lindas do mundo, que num belo documentário passado na TV em sua homenagem, declarou que nunca sofreu por um homem, porque nessas horas sempre pensou: "Hay otros."

Depois da separação, é importante que haja uma quarentena para que os novos solteiros voltem a se mostrar em público, já com seus novos amores. Apenas uma questão de delicadeza.

Como quem fala de amor fala também de paixão, ouvi dizer que em alguns países existem clínicas para os que estão sofrendo dessa doença, onde os apaixonados ficam internados até voltarem ao normal. Recomendo.

casamentos (ou quase)

Sua amiga vai se casar, com tudo a que tem direito. O primeiro pensamento é sempre o mesmo: "Ai, como é que eu vou vestida?", e o segundo: "Tenho que dar um presente?"

Casamento é sempre um problema, mas duas regras são básicas (para enterros também): nem calça comprida, nem vestido longo, a não ser que você seja madrinha ou mãe de um dos noivos, e mesmo assim, é melhor evitar. Um pretinho de alcinha está fora de questão — aliás, em casamentos não se deve usar preto, por razões óbvias, a não ser que você use um modelito tipo Victoria Beckham, no casamento de Will e Kate, que eu até acho que era azul-marinho —, branco também não, que é a cor da noiva, no tempo em que as noivas se casavam virgens. Mas Naomi Campbell usou um vestido longo e branco no casamento do príncipe Albert, em Mônaco, só para lembrar a todo mundo que ela tinha tido um *affair* com o noivo. Já vi também uma noiva entrando na igreja de vestido vermelho, e com os peitos praticamente de fora. Ok, o mundo mudou, mas não vamos exagerar.

Conselho às noivas e às convidadas: cuidado com a maquiagem. Ficou combinado que nesse dia todas devem estar mais caprichadas, tudo bem, mas alguns maquiadores exageram e fazem com que fiquem todas lindas, porém, irreconhecíveis. Cuidado.

Quanto ao presente, tem que dar, sim. São centenas de lojas e antiquários com coisas para casa, onde é possível encontrar um objeto bem inútil, sem detonar o cartão de crédito. Mande antes, para a casa da noiva, com um cartão, claro, e não espere que ela te agradeça ainda na igreja, dizendo que adorou. Noivas, nos dias que antecedem o casamento, ficam muito loucas. Quanto mais pobre o casal, maior e mais útil deve ser o presente; quanto mais rico, menor (e mais barato). A maravilha é quando tem lista, e às vezes você compra até pela internet.

Uma pergunta: se o casamento for cancelado, a noiva devolve os presentes? Em princípio sim, mas como devolver uma geladeira ou uma televisão? Sugiro mandar um cartão (mas se tiver intimidade, vale um telefonema) dizendo: "O presente fica para meu próximo casamento."

A modernidade chegou para ficar: se os noivos têm que montar a casa (e está difícil), ou não têm dinheiro para a lua de mel, podem pedir aos amigos para fazer um depósito numa conta no banco. Mas como as filas dos bancos são cada vez maiores — os banqueiros, que ganham tanto dinheiro, cada vez têm menos funcionários —, acho que seria mais fácil um cheque dentro de um envelope, entregue no dia do casamento. Mas nominal, para que ninguém seja tentado você sabe a quê. E que os noivos não se esqueçam de levar uma calculadora para, na noite de núpcias, poderem somar o total dos cheques recebidos — ou eles não vão fazer isso?

E isso me lembra um costume muito simpático, que acontece nos Estados Unidos, no dia da formatura da garotada. Cada amigo entrega na mão do formando um envelope com um cartão e dinheiro — *cash*; mais simpático ainda, não é ótimo?

Durante anos, os jovens preferiram não se casar, porque achavam que era careta. Mas o mundo mudou, e fique você sabendo que os casamentos entraram de novo na moda, com igreja, damas de honra e recepção. As famílias gastam uma nota, às vezes acima de suas posses, mas querem tudo a que têm direito, e ouvi falar de um, recentemente, que custou quinhentos mil, e depois o casal foi morar num apartamento alugado. Aliás, quem mais quer casar nos dias de hoje são os gays. Casar ou não casar dá no mesmo, e nem a parte dos "direitos", em caso de separação, existe mais; basta ter uma relação "estável" — o que é bem discutível, mas nada que não possa ser resolvido com duas testemunhas e um bom advogado.

Dizem que casar é menos perigoso do que ter uma relação estável. No casamento você coloca no papel pactos, divisões de bens, obrigações etc. Já na união estável, com um pouco de má-fé, uma mulher pode tomar metade dos bens. Mas hoje em dia também acontece o contrário: homens podem pleitear pensão alimentícia de ex-mulheres com grandes salários. A milionária americana Barbara Hutton, no dia do casamento, dava um bom cheque a cada um de seus maridos — acho que foram seis —, e na hora da separação, mais um. Morreu pobre, claro.

Eu já jurei, várias vezes, que nunca mais iria a um casamento, mas aí é a filha de um grande amigo que eu adoro, e acabo indo, não por me sentir obrigada socialmente, mas porque tenho vontade mesmo. A roupa é sempre um problema, sempre. Tenho um conjunto Armani, que é meu uniforme; como é sóbrio e discreto, está no armário há anos e é minha salvação para essas ocasiões. Mas às vezes resolvo mudar tudo, usar uma roupa mais moderna, e já dentro da igreja percebo que estou toda errada; como não dá para voltar e me trocar, assumo e passo uma noite péssima.

E o sapato? Quando lembro que usava salto 7 para andar na rua, custo a acreditar; mas prestando atenção em fotos de moda, cheguei à conclusão que existem dois universos: o das manequins na passarela, e o das pessoas normais. E como as mulheres mais elegantes que existiram no mundo — Audrey Hepburn, Jacqueline Kennedy, a duquesa de Windsor — jamais usaram salto altíssimo, sempre salto pequeno, isso me anistia a nunca mais tentar usar salto alto, que faz de mim a mais infeliz das criaturas (mas tem gente que já nasce de salto alto, como Cláudia Raia). E outra coisa: vamos relaxar, porque mesmo que na mídia todas sejam magras, no mundo real ninguém, mas ninguém mesmo, é tão magra quanto uma modelo.

Se você for daquelas que adoram um chapéu, chegou sua hora. Mas seja discreta, não use o mais extravagante que encontrar. Sempre vai haver alguém com um laço de tule cor de maravilha na cabeça, uma pena de galo, ou até um galo vivo cacarejando. Não adianta: casamento costuma ser um circo, e se for de um membro da realeza britânica, maior ainda. Alguns terminam até em baixaria; é muita comida, muita bebida, são muitas crianças, muitas senhoras que não costumam beber mas nesse dia se atrevem, e essa mistura pode ser dramática. Casamento que se preza tem desde criança de colo até gente de trinta, cinquenta, oitenta, 120, 250 anos — é só olhar para ver.

Casamentos trazem outro problema: é frequente que os pais da noiva estejam no segundo ou terceiro, então, como fazer? Os novos cônjuges têm direito a ficar no altar também? Um belo motivo para uma bela briga, mas, pensando bem, é possível, atualmente, aquele altar cheio de mães, pais, madrinhas, padrinhos? Melhor simplificar, e se a noiva for muito, mas muito independente, pode até entrar na igreja sozinha.

Se for um casamentão, a recepção vai ser cara; quem paga? Costumava ser a família da noiva, mas se ela for pobrinha e o noivo rico, é a dele que arca com as despesas. Mas de que eu estou falando? Nos tempos modernos, é assim: um dia os pais são comunicados que eles já estão morando juntos, e fim de papo; trinta anos depois, fazem um casamento, com direito a filhos e netos. É a celebração de uma união feliz que tem tudo a comemorar.

Mas a garotada ficou conservadora de novo. Alguns querem festa de 15 anos, e até casamento na igreja. Incrível como as coisas entram na moda, saem e depois voltam. E é incrível o prazer da garotada em enlouquecer os pais.

Nesse mundo novo, sogros e sogras dos dois lados talvez sejam apresentados um dia, por mero acaso, e pronto — e que bom. Sogras não foram feitas para conviver pacificamente. É uma relação tão impossível que não existe nome para esse parentesco. A gente volta a falar delas.

Desde que o mundo inventou o dinheiro, existem moças que se apaixonam por homens mais velhos, geralmente ricos e famosos (nunca se ouviu falar que essa paixão tivesse acontecido por um homem mais velho pobre e desconhecido). Quando isso acontece, eles já passaram por pelo menos um casamento, têm filhos criados, e elas costumam querer logo um herdeiro; tomara que o casamento dure para sempre, pois se separarem, o homem vai se ver sozinho com uma criança pequena, numa idade em que isso é, no mínimo, cansativo.

Existe também a mulher mais velha que se apaixona por um homem mais moço, e por que não? Se eles com sessenta podem estar com uma de vinte, por que não o contrário?, perguntam as feministas. A essas, só posso dizer que aproveitem enquanto durar, mas que não se apaixonem sob nenhuma hipótese, porque esse amor tem prazo de validade. A dor que ela vai sentir, quando for trocada por outra mais moça, vai ser dura, e não desejo isso para minha maior inimiga; aliás, desejo, sim.

Um dia fui a um casamento muito chique, de Juliana de Abreu, filha de Silvio; o padre deu a benção, em seguida passou a palavra ao pai da noiva, que, erguendo um brinde, disse: "Que sejam muito felizes enquanto for possível." É raro ver um pai da noiva tão lúcido — e tão corajoso.

a adaptação

Foi tudo lindo, os dois se apaixonaram e resolveram compartilhar os mesmos lençóis; estão ambos dispostos a fazer tudo para dar certo, mas algumas coisas precisam ser acertadas.

Ela adora gatos, aliás, tem dois; ele gosta de cachorros.

Ele adora praia, ela adora montanha.

Ela tem uma mania: dá sempre uma garfadinha no que ele está comendo, seja lá o que for. No começo ele até acha graça, mas com o tempo, vai se irritando, e, um dia, quando ela pega o último camarão, ele se levanta da mesa e não volta nem para pegar as roupas.

Ela adora comida japonesa, ele adora uma churrascaria.

Ela lê na cama, ele não.

Ele é PT roxo, ela tucana roxa, e nenhum dos dois pretende mudar de partido.

Ela fuma, ele não.

Ela fica horas no banheiro — que às vezes é um só.

Ele é educado com a empregada, ela trata mal.

Ele gosta de casa bonita e bem-arrumada, ela não liga.

Ele adora ver futebol pela televisão, sejam quais forem os times jogando, seja qual for o campeonato — e ela odeia, claro.

Ele conhece todas as regras; ela não entende nada, mas fica do lado dando palpites errados o tempo todo — e ele odeia, claro.

Ela não gosta dos amigos dele, ele não gosta dos dela — situação difícil e mais difícil ainda de ser resolvida. Talvez mudando de país e começando tudo de novo, quem sabe?

Bem, cada um deve cuidar e fazer o que gosta e ser tolerante com o que o outro gosta. Conheço um casal assim: ela gosta de casa arrumada e sofre quando vê uma luminária "errada"; então é ela que se vira pra comprar e arrumar quem troque e instale. Quando fumava, ela nunca fazia isso no quarto (nem ele acendia seus charutos). Como ele está gostando de comida de dieta, dessas que se encomendam em sites especiais, congeladas na quantidade certa para uma pessoa, ele acha o site, pesquisa, escolhe, compra e descongela, ele mesmo, no micro-ondas.

Raramente tomam café da manhã juntos; ele madruga, mas quando ela acorda sempre encontra os jornais "engomados", que máximo; e tem pior do que gente que lê o jornal e deixa tudo desarrumado?

Numa viagem, eles compraram óculos escuros iguais. Meses depois foram viajar de novo e ela disse, já no avião, que não estava levando o tal óculos, para que ele pudesse usar o dele sempre. E ele disse a mesma coisa, tinha deixado o dele em casa. Dá vontade de dizer: "Isso é que é casamento bom."

quer
ser
meu
amigo?

O que é a amizade, afinal? Tirando aquele sentimento do gostar, é preciso que as pessoas tenham assuntos, interesses comuns, e vamos reconhecer: todos mudam. Todos nós passamos por isso, dependendo do trabalho que estamos fazendo, do namorado do momento, da situação econômica, que melhorou ou piorou. Por isso, acontece de trocarmos de amigos.

Outro dia saí com amigos — éramos seis —, e nos divertimos muito. Dos seis, cinco bebiam; falamos muita bobagem, demos muita risada, e foi uma noite bem divertida. Só que no dia seguinte o que não bebia telefonou para todos os outros, um por um (para mim, inclusive), para falar mal dos outros cinco (de mim, inclusive). Que disseram inconveniências, foram indiscretos, contaram coisas que nunca deveriam ter sido contadas, e por aí vai. Aí fiquei pensando: ele tinha razão, mas alguma coisa estava errada. Pensei, pensei, e descobri: turmas não devem se misturar, quem bebe com quem não bebe, por exemplo. Não costuma dar certo.

Grávidas só deveriam se dar com grávidas, pois o único assunto que interessa a elas é a ultrassonografia, o enxoval do bebê, a avó que vai dar o carrinho, a quantidade de fraldas estocada, se vão ou não amamentar, se o parto vai ser natural, dentro d'água ou cesariana, e por aí vai. Isso para não falar das que acabaram de ter o bebê; aí o assunto entra pela madrugada afora, e as mães ficam tão empolgadas que são capazes de nem ouvir se a criança começar a chorar. Na sala ao lado, os pais (modernos) falam que filmaram o parto e alguns contam que até cortaram o cordão umbilical. Tem sentido, uma amiga chegar da malhação, feliz porque perdeu dois quilos e arranjou uma paquera nova, ouvir essa conversa? E para responder o quê? Melhor suspenderem as relações até que a criança tenha seis ou sete anos, ou talvez para sempre.

Outra coisa também difícil de juntar é casais com avulsos, digamos assim. Vamos fazer de conta que dois homens sejam amigos de anos; um dia um deles encontrou o amor da sua vida, casou, e a amizade continuou. Quando se encontram para jogar uma pelada ou almoçar num dia de semana, voltam ao passado: jogam conversa fora como duas crianças, e riem por qualquer bobagem. Mas um dia o casado convida o solteiro para jantar, ele com a mulher, que vai levar uma amiga. Resultado: desastre total.

Em primeiro lugar o assunto entre eles muda — e o clima também. Nada de risadas, referências ao passado nem pensar, casados costumam ser muito bem-comportados quando estão com as esposas. As duas mulheres falam dos assuntos de sempre: dieta, ginástica, endereços onde se compram cópias baratíssimas de grife, gracinhas das crianças. O jantar rola sem nenhuma graça, o que leva à conclusão que solteiros devem sair com solteiros, casados com casados, e infelizes no amor com seus iguais. Já pensou, você, já no segundo uísque, ouvindo sua amiga contar que naquela manhã o bebê disse "mã-mã" pela primeira vez e que ela quase chorou de emoção?

É, a vida é assim. Pessoas com interesses comuns se atraem; são amizades sinceras que, dependendo das circunstâncias, tornam-se mais sinceras ainda — ou não — e duram o tempo dessa coincidência de circunstâncias.

Sobre as amizades, mais uma coisinha: se você estiver mal, e precisar de alguém para ouvir que ele te deixou, que o novo trabalho não pintou, ou coisas do gênero, vai ter um monte de gente para ouvir, dar um ombro; mas se ganhou na Mega-Sena, está com um namorado maravilhoso e vai comprar uma ilha em Angra, fique quieta, calada, para evitar olho grande, e não só por isso. Ao contrário do que se diz, amigos existem na hora em que a vida está péssima. Mas se ficar tudo maravilhoso, prepare-se para momentos de grande solidão. Costuma ser difícil suportar o sucesso dos outros.

perguntas que não devem ser feitas (e por quê)

Você está grávida?
(Não está, ela apenas engordou.)

É sua filha?
(Não, é a namorada nova.)

É seu filho?
(Não, é o namorado novo.)

E como vai o Fulano?
(Que não é mais seu namorado ou marido?)

Vocês terminaram? Quem largou quem?
(Oh, perguntas.)

O que você está fazendo andando no calçadão no meio da tarde?
(Pode ter perdido o emprego.)

Qual a idade dos seus filhos?
(Só dando um tiro.)

Estou achando você abatida; está tudo bem?
(Todo mundo já sabe que a relação está em crise.)

Eu estou gorda?
(Se perguntou, é porque está.)

Você me ama?
(Sem comentários.)

Por que você não ligou mais?
(Sem comentários.)

Sua bolsa é verdadeira ou é cópia?
(Só matando.)

O que você viu neste cara/nesta mulher?
(Aí, só cortando relações.)

Você está ótima, fez plástica?
(Três tiros.)

Você tem iPhone?
(É maldade, só para humilhar aquele que não tem.)

as loucuras da tecnologia

Se ligar para o celular de alguém, a primeira coisa que deve perguntar é: "Você pode falar?"

O celular é artigo de primeira necessidade, mas invasivo; eu me grilo de poder ser contatada a qualquer hora do dia ou da noite, onde quer que esteja; se alguém me liga e eu não atendo, a pessoa pode achar que eu não atendi porque sabia que era ela, e se acontece comigo, fico péssima.

Mas celular é também a melhor invenção que existe; ele dá a liberdade de você ir para onde quiser, receber seus e-mails, estar em contato com o mundo todo, com um objeto do tamanho de um maço de cigarros. Os celulares de hoje têm recursos para driblar situações constrangedoras. Tem botão para deixar tocar, para jogar direto na caixa postal fingindo que está desligado, tem aplicativo do iPhone para programar uma chamada falsa na hora que você quiser terminar aquele compromisso chato. E até para rastrear telefonemas feitos e recebidos por esposas e maridos, além de GPS embutido para saber onde eles estão. São, portanto, um instrumento perigosíssimo, verdadeira ameaça à paz familiar. Como é impossível aprender lendo a bula, peça ajuda a um jovem que tenha entre cinco e 15 anos, ou na loja que vende os celulares. Eles sabem tudo.

Conheço gente que não tem mais telefone fixo; aliás, para quê? Com a concorrência entre as teles, os preços de pacotes para celular estão cada vez mais baratos.

Em Paris, existem vários restaurantes onde é proibido usar o celular; um deles é a Brasserie Lipp, e é lá que vou sempre, claro, mas já notei que os franceses não são tão histéricos com o celular quanto os brasileiros; ou talvez porque as horas do almoço e do jantar para eles são sagradas.

E para mim também. Meus amigos já sabem: quando estão comigo desligam o celular, e se algum esquece, eu reclamo, reclamo mesmo, e até acho que perdi alguns (amigos, não celulares) por isso. E tem alguma coisa pior do que achar que está com uma pessoa, e ela estar conversando com outra? É a maior solidão do mundo, mas tem pior, sim: outro dia eu estava na casa de uma amiga, éramos seis pessoas. Pois acredite: cada uma delas estava com uma maquininha na mão. Uma tuitava, a outra mexia no iPad, outra mandava uma mensagem, e depois soube: tinha um que se comunicava com outro que estava na mesma sala, dá para acreditar? Pois eu estava lá, vi, e me senti mais só do que se estivesse perdida no deserto do Saara.

Por falar nisso, tome cuidado com as mensagens de texto por celular. Dizem que hoje são mais usadas do que ligações. A garotada, principalmente, usa direto, tendo ainda o recurso de *send to all*. Mas preste atenção no que você digita e para quem você manda, porque suas palavras ficam gravadas no celular da pessoa para sempre. E podem servir até como prova de infidelidade ou assédio, que mundo.

E preste atenção também ao português, porque nada mais chocante do que receber uma mensagem cheia de erros de grafia e concordância. Aliás, quem manda deve prestar atenção, e quem recebe deve procurar se acostumar aos erros.

Comportamento no mundo virtual

E-mail eu respondo na hora, se não responder, esqueço; se estou ocupada mando um "agora não dá, falamos amanhã", e isso não me ocupa mais que cinco segundos. Mas tem gente que só responde quando quer, e diz: "Não recebi seu e-mail, seu provedor deve/devia estar com problemas." A mesma pessoa, quando tem que mandar e-mail e não manda, diz: "Mas eu mandei, você não recebeu? É culpa do seu provedor." Não aconselho. Fernando Sabino me contou que quando morava em Londres encontrou na rua um amigo inglês que disse: "Você fez falta no casamento de minha filha", ao que ele respondeu: "Não recebi o convite." O inglês ficou perplexo; foi aos Correios, fez uma reclamação por escrito, o caso virou um processo, e Fernando ficou mal. Isso não aconteceria no Brasil, claro, mas de qualquer maneira a vida é bem mais confortável sem mentir.

O e-mail é maravilhoso para trabalhar, desejar feliz aniversário sem ficar no ar a pergunta "vai fazer o quê?".

Para mandar orçamentos, confirmar viagens, encontros, mandar esboços de projetos, recadinhos breves, agradecimento de flores ou pedir uma rápida informação, não tem nada igual. Mas já ouvi um desses modernésimos dizer que e-mail é praticamente coisa do passado. Quase morri.

E-mail é bom também para terminar relações amorosas (mais ou menos recentes), ou profissionais. Por escrito, com tempo para refletir, escolher bem as palavras. Mas se tiver tido um longo casamento, com filhos, é melhor pessoalmente.

Atenção: se tiver bebido ou comido um simples bombom de licor, nem telefone, nem mande e-mail, nem SMS, nem tuíte uma piada. E quando estiver na dúvida sobre tuitar ou não um comentário, não tuíte. Temos dentro de nós um censor muito competente que deve ser obedecido.

Cuidado: já me aconteceu de mandar um e-mail e recebê-lo de volta, avisando que mandei para a pessoa errada; os nomes eram iguais, eu não prestei atenção aos sobrenomes, que eram diferentes. Felizmente era um e-mail sem nenhuma importância.

E atenção: se escrever tudo em letra maiúscula, vai parecer que você está gritando.

A tecnologia nos trouxe luxos como o Skype, programinha de computador através do qual você conversa com aquele amigo que mora do outro lado do mundo, e de graça. Se seu computador tiver uma câmera, vocês ainda conversam se vendo — o que pode ser um perigo.

Me contaram que as reuniões de trabalho em volta daquela mesa grande, oval, com todos os superexecutivos com o iPad na frente, viraram uma comédia. A maior parte desses homens tão sérios fica se distraindo com os joguinhos ou direto com a internet, e não está nem aí para o que está acontecendo.

Vou confessar o que você já deve ter percebido: não faço parte da turma moderna. Mas, como sei que Ruy Castro, Ferreira Gullar e Woody Allen também não, estou em boa companhia; não tenho nem celular, nem *smartphones* como Blackberry ou iPhone, não tuíto, não pertenço à comunidade do Facebook, não tenho blog nem site; essas coisas estranhas, só conheço de ouvir falar. Gosto da minha privacidade, de ficar só, o que seria impossível se entrasse nas redes sociais, e quanto a mandar meus arquivos para a nuvem, prefiro que eles fiquem comigo, bem pertinho. Também não tenho nenhuma pressa em saber das novidades, se o ministro caiu, se foi presa a quadrilha de traficantes, se Kate e William vão ter um filho; se souber duas horas depois, minha vida não vai mudar em nada, e no peito dos não internautas, juro, também bate um coração.

à mesa

Não há lugar onde seja mais fácil saber se uma pessoa é ou não bem-educada do que à mesa. Num simples jantar, uma pessoa tem vinte, trinta ocasiões de fazer o que se convencionou chamar de errado. Aliás, o que é certo, o que é errado? É "nós pesca", ou "nós pescamos"? Está meio na moda achar que é elitismo falar de maneira correta, comer de maneira correta, que é preconceituoso achar que cortar o bife com os dentes é feio. Não é; isso se fazia na Idade da Pedra, mas fomos nos civilizando e aprendemos a conviver mais educadamente. A boa educação não é artigo de luxo, mas de primeira necessidade, e não é preciso ser rico para ser educado.

Certas coisas não mudam, provavelmente você já sabe, mas vou repetir:

No restaurante, antes de qualquer coisa, celular desligado. Não há nenhum assunto que não possa ser falado antes de sair de casa ou depois de chegar, como era, quando não existiam ainda os celulares. É o mínimo, mas o mínimo de atenção que se tem obrigação de dar à pessoa com quem se está. Desligue o telefone, e se ele vibrar, não olhe para saber quem está ligando, esse olhar já corta qualquer barato. Se sua mãe estiver sendo operada naquele momento, não é desculpa; você deveria estar no hospital com ela, não no restaurante.

Se não quiser ficar na calçada com uma caipirinha na mão esperando que vague uma mesa, reserve — e chegue na hora. Se estiver em outro país, mesa de no máximo quatro lugares. Em alguns restaurantes até dá se forem seis, mas normalmente não.

Havendo uma celebridade no restaurante, finja que ela é invisível; nada pior do que ficar olhando para os famosos. Aliás, tem pior, sim: é tentar escutar o que estão falando. Os restaurantes andam cheios; as pessoas comem, bebem, se divertem, conversam, dão risadas, estão felizes. Mas poderiam ser tão felizes quanto, sem gritar tanto. Os profissionais da decoração fazem trabalhos lindos, cheios de requinte, mas a última coisa em que pensam é na acústica. Enquanto eles não aprendem, um sinal de grande civilização é falar baixo — e as crianças, nem alto nem baixo: mudas e proibidas de levantar da cadeira. Você já passou por isso, ver crianças correndo entre as mesas de uma churrascaria? Aliás, crianças não deveriam frequentar restaurantes até completar 15 anos. Estou brincando, claro: aos 15 elas já estão em Milão, desfilando.

Num restaurante, geralmente o garçom chega, pergunta o que se quer beber, depois volta com o menu, para que as pessoas decidam o que vão comer. É bom que façam suas escolhas, para que ele não fique horas em pé, com um bloquinho na mão, esperando que cada um chegue à sua conclusão. Percebi — e aprendi — isso em viagens; como são poucos para atender muita gente, se as decisões ainda não estão tomadas, é um estresse geral. Vale perguntar sobre um determinado prato, mas é bom ter o seu pedido na ponta da língua, um simples respeito ao profissional. Quanto ao vinho — estou falando da França —, é diferente. Se perguntar ao *sommelier* (ou escanção, em Portugal, viva o Google) qual o vinho que combina melhor com o que vai comer, essa conversa poderá levar horas, pois não há um só francês que não adore falar de vinhos.

Cuidado com os cotovelos: mãos sempre em cima da mesa, a não ser que você tenha um desejo urgente de fazer um carinho na perna de sua amada. Mas que seja rápido e discreto, ninguém precisa ver. E cuidado para que seja a perna dela, e não de outra (aliás, conheço vários romances que começaram assim).

Como tudo nessa vida, bebidas e comidas entram e saem de moda. No item bebidas, os coquetéis estão de volta, e fica muito chique pedir um *dry martini*, *very very dry*, mas cuidado. O gim é uma bebida perigosíssima, e quem tiver um pouco de juízo vai tomar no máximo duas doses; com três, ninguém se garante. Como são raros os barmen locais fazerem direito, é melhor deixar para tomar em viagem. O do Duke's Hotel, em Londres, foi o melhor que já tomei; era o lugar predileto de Ian Fleming, o inventor de James Bond, que, aliás, só tomava *dry martini*. Mas se você for fraquinha para bebidas, pode pedir um Bellini, criação do melhor bar do mundo, o Harry's Bar de Veneza. É uma mistura de suco de pêssego com champanhe, mas que, se for feito com espumante, fica tão bom quanto. E atenção: espumante rosa é o que há, em matéria de chique (no momento).

Outro dia fui a um restaurante finérrimo no Rio, e pedi um Manhattan, que veio num copo de uísque cheio de gelo, um erro sem perdão. É que no Brasil, como não temos a cultura dos coquetéis, nenhum fica tão bom quanto em seus países de origem, e uma bebida no copo errado — bem, não há nada pior. Para evitar esses erros, eu faço assim: no Brasil, tomo caipirinha, cerveja, uísque ou gim tônica, e, no Antiquarius, até um vinho do Porto. Deixo para tomar vinhos na França, na Itália, na Argentina, no Chile, isto é, quando se tomam as bebidas locais, estará tudo sempre certo, e os vinhos serão servidos em copos, não em taças, como falam — errado — no Brasil.

Por falar nisso, se estiver tomando vinho branco, segure o copo pela haste, para não interferir na temperatura; se for tinto, faça como quiser.

É muito fino, sobretudo para as moças, comer pouco; mas e se você for daquelas que têm uma fome de Pantagruel? Bem, entre amigos — e quem vai sair com inimigos? — a melhor coisa é a sinceridade. Diga que está de dieta há seis meses, e que naquele dia vai comer tudo a que tem direito. Todo mundo vai entender e até achar graça, mas ser faminta sempre não pega muito bem.

Nunca peça as comidas mais caras, mas também não fique olhando ostensivamente para o lado direito do cardápio, para ver os preços (e deles não se fala, sobretudo quem está pagando). Se foi convidada para um restaurante caríssimo, daqueles em que o menu vem sem preço, vá fundo. Quem convida dá banquete.

Não peça, jamais, caviar, a não ser que tenha sido convidada expressamente para isso, de preferência em Paris, na Maison du Caviar ou no Kaspia; afinal, cem gramas do Beluga são mais de setecentos euros (e acompanhando, uma das maravilhosas vodcas que eles têm, gelada, é de matar). Quando estive em Moscou, na lanchonete do aeroporto, dentro daquela vitrine de vidro, tipo padaria, havia grandes fatias de pão rústico com caviar já passado, feito manteiga — sem nenhuma parcimônia —, e não custava nada. Caviar é tão bom que a gente devia comer nua.

Tudo que sei, aprendi aos poucos — no convívio com pessoas que sabiam mais que eu, observando, e nunca vou esquecer o dia em que, pela primeira vez, vi uma alcachofra. Eu estava num restaurante, alguém deve ter pedido para mim, e fiquei paralisada, sem saber o que fazer. Foi um momento tenso, mas esperei, olhei, e fiz como os outros; teria sido muito mais fácil perguntar, mas fiquei com vergonha, coisas da adolescência. Se algo parecido acontecer com alguém perto de você, nada de caçoar, isso acontece, sempre tem uma primeira vez para tudo. E as pessoas adoram ensinar.

Mas sabe uma coisa que não sei ainda? É em que momento, no restaurante, ponho o guardanapo no colo. Mil vezes olhei, prestei a maior atenção, mas cada um faz de um jeito. Já perguntei a várias pessoas, cada uma me disse uma coisa. Das que me lembro agora:

1. Assim que você se senta, guardanapo no colo.
2. Guardanapo no colo quando já estiverem na mesa pãezinhos, coisas de comer.
3. Guardanapo no colo quando seu prato, já servido, for colocado na sua frente.

Por uma questão de lógica, eu sigo a regra número 2, acho que faz mais sentido, mas não posso jurar que seja a certa. E qual a importância? Ninguém vai passar vergonha se seguir as outras.

Outra coisa: se você marca com um amigo no bar e chega antes, já vai logo pedindo uma bebida, ou espera? Eu não espero; não sei quanto tempo a pessoa vai demorar, e não vou ficar sentada numa mesa sozinha feito uma boba, sem nem poder fumar, eu, não.

Cuidado com as sopas — o barulho etc.; mas quem vai pedir uma sopa, essa coisa tão sem graça, num restaurante?

Se cair seu copo, finja que nem percebeu, a não ser que tenha levado um banho — e mesmo assim, não faça escândalo. Outro dia eu estava numa festa e uma bandeja com vários copos (cheios) caiu nas minhas costas. Fiquei ensopada — felizmente era champanhe —, mas fingi que nem era comigo. Quando vieram se desculpar, eu ainda disse: "Um banho de champanhe é um privilégio", e vários me cumprimentaram pela reação tão civilizada. Mas se fosse uma panela com feijoada eu teria saído aos gritos, chamando a polícia.

Palitos, ah, os palitos. Só no banheiro, sozinha, de luz apagada. Aliás, você sabia que há mil anos era tão normal usar palitos, e que os ricos levavam um, de ouro, no bolso?

Não é preciso dizer, mas vou:

- Não mastigue de boca aberta.
- Não fale de boca cheia.
- Fale baixo; ria baixo.

- Garfo e guardanapo no chão não são problema; se o garçom não viu, faça com que ele perceba — discretamente.
- Facas servem para tudo, até para um assassinato, menos para saladas, ovos e pães.
- É mesmo difícil comer macarrão; a forma mais correta é espetando o garfo verticalmente no macarrão, e depois girando, até que vire uma porção razoável. Treine em casa, mas se achar difícil, peça um ravióli.
- Não coma nada com as mãos, a não ser em casos muito, muito especiais: uma costelinha, uma batatinha frita, uma asinha de frango — mas só quando estiver com pessoas íntimas.
- Tudo o que você leva à boca com a mão deve ser tirado com a mão, como o caroço de azeitona; já o que é levado com o garfo deve ser tirado com o garfo, espinha de peixe, por exemplo.
- Esqueci: aspargos grandes também podem ser comidos com a mão.
- Se for sua primeira vez num restaurante japonês, peça um garfo, e tudo bem. Você não é obrigado a saber usar o *hashi*.
- Antes de beber qualquer coisa, passe o guardanapo na boca, para não sujar a borda do copo.
- Se estiver resfriada, leve um lenço; se estiver muito resfriada, fique em casa.
- Não deixe a colher dentro da xícara de café ou de chá, e por falar nisso, cuidado com o dedinho.

- Acabou de jantar? Nunca empurre o prato, e garfo e faca paralelos, jamais cruzados.
- Já está indo embora? Guardanapo bem amassado em cima da mesa, para não poder ser reutilizado.

E A CONTA?

Um casal ou um amigo te convida para jantar; a não ser que eles sejam publicamente ricos, o natural será você dizer: "Vamos rachar?" Se eles disserem não, ainda assim insista, e se não conseguir, faça com que eles prometam que essa é a única e última vez, que a partir daí as contas serão divididas, ou você não poderá mais sair com eles. E se for um jantar de casais, a mesma coisa.

Entre amigos é mais do que normal que se rache a conta, que é dividida mais ou menos por igual, já que o preço de um copo de vinho é praticamente o mesmo de qualquer outra bebida. Mas existem as circunstâncias especiais: se um deles não bebeu, não precisa tirar do bolso a calculadora, mas na hora de fazer a conta, um dos que beberam deve dizer "Fulano paga menos, porque não bebeu". Se ninguém disser nada, o que não bebeu fica calado, e que trate de beber na próxima vez.

Por circunstâncias especiais, entenda-se: uns beberam cerveja, outros caipirinha, e um deles pediu champanhe francês; seria muito gentil que ele pagasse a conta de todos, mas, se não fizer o gesto, que seja o primeiro a dizer que a parte dele é maior. Mas quem pedir champanhe francês tem a obrigação de se oferecer para pagar a conta. E se todos aceitarem, a conta é dele, que foi quem pediu.

Nunca faça como aquele esperto que se levanta e vai ao toalete assim que termina o café, para que o outro tenha tempo de pedir a conta e pagar. Todo mundo conhece esse pequeno golpe.

já que você inventou

"Ah, todo mundo recebe, minha casa é tão legal, vou convidar os amigos." Então, prepare-se; para começar, faça a lista de convidados, e também a lista dos que não vão ser convidados, que vão saber e não vão gostar. Houve um tempo em que era fácil fazer a lista: nas minhas festas, além dos já esperados, eu salpicava pelo menos um exemplar de cada minoria (e eram tantas!), o que dava um clima de rebeldia à noite. Eu adoraria falar mais francamente sobre essas minorias, mas nos dias de hoje isso seria considerado tão politicamente incorreto, que o mínimo que poderia me acontecer seria um processo, então, que cada um imagine o que quiser.

E vamos logo falar sobre as famosas apresentações. Quem levanta para cumprimentar quem? Quando se estende a mão, quando se dá dois ou três beijos? Aí você me pegou; não vivemos no mundo diplomático sujeito ao protocolo, e que bom, mas nós, brasileiros, somos bem descontraídos, digamos assim, até demais. Todo mundo beija todo mundo, depende apenas de pintar uma simpatia natural, e isso vale até para presidentes da República, em termos. Eu não daria um beijo no general Geisel, e você? Mas em Fernando Henrique sim, com certeza.

Se você for casada ou tiver um namorado prestativo, fica tudo mais fácil. Para uma mulher sozinha, tendo apenas uma cozinheira — e quem tem? —, a não ser que encomende um serviço de fora, é complicado. Além de fazer todas as compras, ela abre a porta, oferece a bebida, serve, entrega ao convidado, vai na cozinha ver se está tudo direito, a campainha toca de novo, ela vai abrir, pergunta o que querem beber, e não tem um minuto de tranquilidade para conversar — afinal, a real finalidade de um jantar.

Se você é uma dona de casa daquelas, que recebe com a mais total naturalidade, que bom para você e para seus amigos. Não é o meu caso. Passo uma semana estressada, na noite do jantar mal consigo falar, com medo da comida ser pouca, do gelo acabar, de jogarem uma bomba na minha casa — o que seria um alívio, de certa maneira. Então, convido direto para o restaurante (e se o jantar for na minha casa, no final vai todo mundo embora, a casa fica um caos, e eu não tenho nem com quem comentar, é de matar). Essa história de receber para jantar já me fez sofrer tanto, mas tanto, que uma vez fui ao analista para falar do assunto; falei, falei, falei, e depois escutei uma frase, só uma: "Então não dê nenhum jantar." Como a vida pode ser simples.

Mas tenho uma amiga que adoro, e que faz assim: ela não tem fogão em casa, só um forninho e um micro-ondas. Quando chegam os amigos, ela diz: "Eu faço o primeiro drinque, depois cada um se vira"; um pouco mais tarde pergunta: "Você quer comer o quê?", já com os cardápios dos restaurantes na mão, e vai anotando os pedidos. Quando chega o jantar, vão todos para a mesa, que foi arrumada à tarde, ela vai passando as embalagens para cada um, e pronto. Às vezes decidem por uma pizza, e cada um escolhe que tipo quer. No final, pratos dentro da pia (no dia seguinte a diarista lava), embalagens no lixo. De sobremesa, um sorvete, e depois um café fresquinho, feito na hora por uma máquina incrível. Uma vez, ela resolveu fazer uma ceia de Natal e chamar a família toda. Além de encomendar o bufê, também alugou um fogão; tem coisa mais sábia e fácil, nos dias de hoje?

Existem serviços em que os pratinhos são pequenos, servidos na mão de cada convidado, o que evita aquela mesa com travessas e travessas de comida, e sobretudo depois de tudo terminado, a cena dos pratos em cima das mesinhas, das cômodas, às vezes nas cadeiras e nos sofás — e os guardanapos no chão.

Se a dona de casa é tolerante, pode espalhar uns cinzeiros pela casa, nunca se sabe. E o convidado, antes de acender o cigarro — dizem que ainda tem gente que fuma —, deve perguntar se tudo bem. Outro dia fui a um jantar e percebi que havia uma salinha no fundo do corredor para onde iam os fumantes, em momentos de grande necessidade. Fumar, hoje em dia, é crime, mais grave do que se drogar. Ainda não dá cadeia, mas vai dar, num futuro próximo.

Existe também uma solução moderna e ótima: você contrata um chef (de confiança), discutem o menu, no dia ele faz todas as compras, oferece os drinques, vai para a cozinha, faz tudo, inclusive a sobremesa, serve, e você paga as compras e um xis pelo seu trabalho; eu tenho um tão maravilhoso — seu nome é Paulo — que quando o jantar acaba eu quero que ele sente na sala e conte como aprendeu a fazer esses pratos divinos na França, na China, na Índia. Funciona divinamente, viu?

Dúvida típica dos dias de hoje: é feio convidar por e-mail? Bem, ainda não existe uma etiqueta radical na era da tecnologia, mas me parece que, por e-mail, só em caso de absoluta intimidade, tipo "Quer vir jantar aqui em casa amanhã?". Quem vai receber trinta pessoas pode bem telefonar, não pode? Como alguns são casados, serão no máximo vinte telefonemas, e se você não encontrar a pessoa, aí então passe um e-mail dizendo que não conseguiu etc.

Mas existem aquelas felizes, que recebem com calma, sem histeria. Elas fazem assim: as flores? Bem, como para misturar flores precisa ter talento, e orquídeas brancas plantadas num vaso ninguém aguenta mais, que tal hortênsias, rosas ou lírios brancos? Os floristas têm montes de flores das quais a gente não sabe o nome, mas conhece quando são lindas, mas cuidado. Basta um buquê, com uma só qualidade, um buquê enorme, num vaso incrível; é lindo quando combinam com a cor do sofá, mas se nada combinar, então dúzias de rosas ou lírios, sei lá, mas melhor não ter nenhuma do que ter um vaso com cara de ter sido feito pelo florista, um horror. E, por falar em moda, plantas também saem de moda: samambaias, por exemplo, são o que há de mais brega. Radicalizando: dentro de casa, planta nenhuma. E a dengue?

Então, se você vai mesmo encarar, coragem, vamos lá: já houve tempo em que, para receber, era necessário ter vários tipos de bebida, mas as coisas estão mais simples: um vinho branco e um tinto, um rosé para quem não tem preconceito (eu adoro), ou champanhe antes, durante e depois, se você tiver grana. Mas é sempre bom ter alguns destilados, uísque, vodca (ou gim) e tequila, mesmo que ninguém beba, só para saber que tem (a garrafa de vodca e a de tequila, no freezer), Coca zero, Coca normal, cerveja, água, limão, água tônica, gelo, muito gelo. Mix de frutas secas espalhados pela casa e mais alguma coisa que dê pra comer com a mão. Nada de patês, queijos etc., que pedem pães, facas etc., não vamos complicar.

Guardanapos de papel? Claro, por que não? Grandes, de boa qualidade, talvez importados, pequenos para os copos, e para perto das comidinhas; ou vá à Tok Stok e compre dúzias, todos da mesma cor, são baratos e resolvem. Quanto aos copos, calma: copos de plástico, jamais. Eu tenho tal horror, que ainda vou fazer como um milionário que conheço, e tem suas manias: aonde ele vai, leva uma sacolinha com uma garrafa da bebida que mais gosta — acho que é gim —, copo e gelo. Como tem louco nesse mundo. Mas não vamos radicalizar: vou levar apenas um copo, para evitar uma situação horrível, tipo me oferecerem qualquer coisa, qualquer coisa mesmo, num copo de plástico. Nem no meio de um deserto eu tomaria água num copo de plástico.

Se você não tem louça e vai ter que comprar, esqueça a modernidade de pratos quadrados, são tão antipáticos! Os floridos são lindos, mas só até que a comida tenha sido servida, pois quando o prato é estampado não dá para apreciar o que se está comendo, nem saber do que se trata. Mas você também pode optar por pratos e copos todos diferentes uns dos outros, que se encontram em feirinhas de antiguidade por na-da. Se sua casa for muito careta, vai dar um toque de originalidade à noite.

E tem também o fundo musical, que não pode perturbar os trabalhos; eu optaria por trilhas dos filmes de Woody Allen, são maravilhosas.

E as comidas? Aí é outra complicação, mas são várias as soluções.

Cuidado com as típicas. Se resolver convidar para um vatapá ou uma feijoada, seja bem clara, na hora de convidar. Quando o presidente dos Estados Unidos, Barack Obama, veio ao Brasil, declarou-se vegetariano — um sábio; mas eu já o vi, pela TV, se deliciando com um hambúrguer. E quando o presidente Jacques Chirac esteve por aqui, foi servido um acarajé num almoço em Brasília, que ainda por cima chegou frio, um vexame. Ofereceram a ele um vinho brasileiro, mas ele, sábio, preferiu uma cerveja.

Solução: um ou dois pratos quentes, no máximo (caso alguém tenha alergia a camarão, por exemplo), mas sempre um prato "estrela" da noite, e um franguinho fofo para os chatos, alérgicos, de regime etc. Prefira os que são servidos em uma travessa só, como o arroz de pato do Antiquarius (vem prontinho, delicioso, é só esquentar). Ou uma bacalhoada, um bobó de camarão mais um arroz branco e uma salada bacana e fácil de comer só com garfo (nunca as folhas inteiras, mas rasgadas com a mão). Sobremesa: doce ou sorvete, frutas, mas só as fáceis. Numa bandeja enorme, uma garrafa térmica maravilhosa com café, e estamos aí.

Jantar bom é aquele em que todo mundo se aperta, senta na beira do sofá para comer com o prato no colo, e comenta no dia seguinte: "Estava uma loucura, mal consegui comer!"

Banheiros tinindo, claro; se puder, na sua próxima viagem vá até Bruxelas só para comprar rolos de papel higiênico de várias cores, pretos, amarelos, vermelhos, são bem divertidos. Deixe montes de toalhas pequenas dobradas à vista, e perfume de ambiente. Se estiver inspirada, faça uma gracinha: flores num vasinho. De todo modo, você deve dar umas conferidas durante a noite, ou pode, para isso, pedir ajuda a uma amiga, mas uma amiga muito amiga e muito íntima. O maior perigo de todos seria faltar água, o horror total, caso de desmarcar o jantar.

Se precisar, procure uma empresa que aluga tudo: mesas, cadeiras, talheres de prata, copos de todos os tipos, pratos de porcelana perfeitos, guardanapos de linho, *rechauds*, travessas, panelas, garçons e até gente. Algumas aspirantes a atrizes vão, lindas, e o cachê depende do tempo que elas vão ficar.

Isso se aplica a jantares em casa; melhor uma boa música, conversa animada e um jantar correto que não precisa ser lembrado pela comida — a não ser que você tenha características especiais, como ser um enólogo, que quer exibir seus conhecimentos e fazer um jantar harmonizado, ou um superchef que vai fazer uma *paella*, algo assim. E antes que eu me esqueça: se for um jantar de aniversário, leve um presente, sim, claro, mas evite flores, para não obrigar a dona da casa a procurar um vaso que ela talvez não tenha, não para aquelas flores. E dê um jeito de levar o presente num embrulho incrível, com muito papel de seda, muitos laços de fita. O presente pode ser uma total bobagem, mas é uma alegria ver a cara de surpresa da aniversariante abrindo o embrulho. Faz parte, e é tão bom! Pode ter ou não bolo, mas a musiquinha do parabéns é pavorosa, fundamental evitar. Se alguém se atrever, aumente o som da música que estiver tocando, seja ela qual for.

É difícil receber para um jantar, e para quem não tem meios de contratar um serviço que permita se divertir em sua própria festa — porque para sofrer, é melhor não inventar — simplificar é a solução. Se for verão, várias saladas que já estarão prontas, só faltando botar o molho (que também já estará pronto); se for inverno, uma moqueca de camarão e um arroz. Enfim, um prato que você encomenda num restaurante e que na hora de servir é só botar no micro-ondas, e não no forno, que é dificílimo acender (eu ainda não aprendi). E ainda tem os bufês de risotos, pizzas, crepes salgadas e doces etc. etc.

E só para você sofrer um pouco: chique, mas chique mesmo, é uma comida feita em casa por uma cozinheira que está na família há trinta anos, o que só existe em casa de gente que tem dinheiro há muito, muito tempo.

Se a dona da casa não tiver nenhuma ajuda extra, quando todos terminarem de jantar, ajude a levar os pratos para a cozinha, sem nem perguntar, mas não exagere na ajuda, se oferecendo para lavar a louça. Para tudo existe limite.

Se o seu jantar estiver tão bom, mas tão bom, que ninguém vai embora, desligue o som, vá dormir e esqueça os convidados; mas antes de se trancar no quarto, esconda a bebida, e por precaução, recolha as pratas.

Mas se sua intenção é um jantar romântico, a dois, um bom restaurante é a melhor coisa do mundo. Restaurantes e táxis, duas grandes invenções.

Andy Warhol dizia que no futuro os restaurantes serviriam mais atmosfera do que comida propriamente dita, como o antigo Elaine's, em Nova York, o predileto do cineasta, e o Chez Lipp, em Paris. Os turistas ouviam falar que o Elaine's era o máximo, porque era para lá que todas as celebridades iam. Eles iam também, mas encontravam um restaurante totalmente banal, e, se naquele dia as celebridades estivessem fazendo outra coisa, não achavam nada de mais — como foi o Antonio's, no Rio.

E agora que você já conhece as regras, é hora de começar a quebrá-las. Mas para poder fazê-lo, é preciso saber todas, e bem.

Na mais total intimidade

Se você não for rica nem pretensiosa, pode perfeitamente combinar com alguns amigos uma reunião em casa, cada um trazendo uma coisa. As mulheres ficam, geralmente, encarregadas das comidas e sobremesas — que aliás poucos comem —, os homens, das bebidas, e a dona da casa cuida dos pratos, copos, guardanapos, gelo, música, flores. É superinformal, claro, e se — digamos — as empadinhas não estiverem boas, a culpa é de quem trouxe, se o vinho estiver avinagrado, idem. Essas reuniões costumam ser cheias de surpresas e muito alegres, eu adoro.

Se você está pretendendo dar um churrasco ou uma feijoada em seu quintal, ou em seu sítio, e pensou em dividir as despesas com os amigos, não aconselho. Já estive em casa de gente bem modesta oferecendo churrascos, e linguicinha, asinha, coração de frango e picanha não arruinam ninguém; no máximo, peça para os homens trazerem as bebidas, sem esquecer do limão para a caipirinha.

hospedar, será?

Para hospedar é preciso ter um talento especial, e uma paciência infinita; se não for assim, é melhor não se aventurar nesse terreno.

E para ser hóspede, também tem que ter o mesmo talento especial, a mesma paciência infinita, e chegar em casa sempre trazendo uma coisinha, seja lá o que for, uma revista, uns chocolates, flores, biscoitinhos, essas coisas.

Quando se é criança, dá até para dormirem duas na mesma cama, e um colchãozinho no chão é mais do que suficiente, mas o tempo passa e vamos ficando mais exigentes. Em casos de muita intimidade — e necessidade — dá para dormir no sofá da sala, mas vamos combinar: é um desacerto. Se esse(a) hóspede dorme até mais tarde, e as pessoas da casa têm que passar para ir à cozinha, é desconfortável para todo mundo. E compartilhar o mesmo banheiro não é das melhores coisas, as pessoas costumam sempre deixar vestígios de sua presença.

Se você tem um quarto especial para receber hóspedes, com banheiro só para eles, já facilita; mesmo assim, não é fácil.

Você vai ter que se ocupar do café da manhã, mais caprichado do que o de todo dia, do almoço, do jantar, vai ter que levar o hóspede para uns passeios turísticos (nada pior), para um restaurante, às vezes, e, sobretudo, vai ter que conversar com ele em vários momentos do dia, explicar a situação política do país segundo os jornais, essas coisas. E você já reparou como TODOS os estrangeiros adoram se hospedar na casa dos amigos quando vêm para o Brasil? Acho que eles nunca ouviram falar em hotel.

Se por alguma razão eu tivesse que hospedar alguém, arranjaria (ou inventaria) um trabalho temporário para não ter que levar o hóspede ao shopping, essas coisas. E às vezes inventaria um jantar de trabalho em São Paulo.

Por essas coisas e várias outras, não me hospedo em casa de ninguém em lugar nenhum do mundo; se não puder pagar meu hotel, por mais modesto que seja, prefiro não ir. Também não hospedo ninguém, claro, só em caso de calamidade pública.

Uma vez me hospedei na casa de uma amiga, em Miami. Ela me perguntou: "O que é que você come de manhã? Porque aqui em casa não tem nada." Me senti tão bem, tão à vontade, que acho que à casa dela eu até voltaria.

FINS DE SEMANA

Mas existem pessoas menos complicadas do que eu, que têm uma casa de campo ou de praia, e um prazer verdadeiro em convidar os amigos. Então, vamos lá.

Pedir ou não para levar alguma coisa? Depende, claro, da intimidade e da conta do banco do dono da casa. Teoricamente, quem tem uma casa para passar os fins de semana não está tão mal de vida assim. Então, mesmo que o hóspede pergunte, ele deve dizer que não, não precisa levar nada, e já que convidou, é responsável por café da manhã, almoço, jantar, lençóis, cobertor, sabonete etc. Mas se forem íntimos, pode perfeitamente pedir, por exemplo, para o hóspede se encarregar do café da manhã, olha a encrenca: pães, manteiga, geleia, laranja para sucos, queijo, presunto, café, leite, açúcar etc. etc. — e é por isso que não passo fim de semana na casa de ninguém.

Mas mesmo que não tenha que levar nada, leve, sim: revistas da semana, alguma bebida, uma caixa de chocolates e o que mais inventar, por pura gentileza.

E nada de passear pela casa de camisola, pijama, robe, tem que sair do quarto já vestido, isso é importante.

marinheiros de primeira viagem

Viajar — ah, como é bom. Lembro a primeira vez em que fui à Europa, quando viajar era um evento de grandes proporções. Do Rio a Paris levava-se trinta horas, e fazendo quatro escalas: a primeira em Recife, a segunda em Dakar, depois Lisboa, e enfim Paris.

Para começar, era preciso pensar na roupa da viagem. *Tailleur*, já ouviu falar? Saia e blazer, com uma blusinha por baixo, sapato alto, meia, chapéu — é, chapéu — e luvas. Na mão, aquela malinha quadrada com tudo de maquiagem, e uma sacola com uma calça comprida para usar no avião — calça essa que era trocada antes da chegada, para descer bem elegante, de chapéu e de luvas; é possível? Mas ouvi falar que já foi mais complicado: quando os grandes fazendeiros paulistas iam para a Europa de navio, nos idos de 1900, levavam uma vaca (no porão) para que as famílias pudessem tomar o leite ao qual estavam acostumadas, dá para acreditar?

Voltando: as comissárias eram escolhidas (também) por sua beleza, os aviões eram menores, portanto, com menos pessoas, todos se conheciam, e era um vaivém no corredor, tipo uma grande festa; cada passageiro com um drinque na mão, um cigarro na outra, todos alegres e felizes, e na hora do desembarque ainda se ganhava uma caixa de chocolates suíços.

Quantas vezes eu peguei um avião sem reservar o hotel onde pretendia ficar. Deixava as malas no táxi e ia até a portaria perguntar se tinha lugar; se não tivesse, o que era raro, ia até outro, e logo, logo estava instalada. E mais: quando chegava a hora de voltar, a passagem era remarcada cinco, dez vezes, sem ter que pagar nenhuma diferença de tarifa. Isso me lembra que outro dia precisei ir a São Paulo; telefonei para reservar a passagem — ia sair do Rio num sábado e voltar no domingo. Perguntei o preço: setecentos e muitos reais. Achei caríssimo, quis saber se não havia uma mais barata, e me informaram: se em vez de voltar domingo voltasse na segunda, pagaria duzentos e poucos reais. Dá pra entender? Tenho saudades do tempo em que a ponte aérea tinha um preço só, e havendo lugar se embarcava em qualquer voo, sem burocracia. E era bem bom descer do avião na pista e ir caminhando até o saguão do Santos Dumont ou de Congonhas. Quando chovia, tinha um atendente com um carrinho cheio de guarda-chuvas, que eles entregavam já abertos.

As coisas mudaram: as viagens não são mais tão longas, mas em compensação o espaço é cada vez menor (e ouvi falar de uma companhia irlandesa que vai lançar, em voos curtos de até uma hora, passagens por cinco euros, só que o passageiro vai em pé, que tal?). Hoje, um avião leva mais de quinhentos passageiros, e é preciso programar-se muito bem para que essas horas de voo não sejam uma tortura.

Me contaram que a nova classe C está adorando essa vida de viagens. Os preços estão melhores, os crediários ajudam, o dólar baixo estimula. Mas essas pessoas estão tendo muitos problemas nos aeroportos, sobretudo nos do Brasil, que só têm estrutura para quem tem mais grana. Se um voo atrasa e uma família de seis pessoas tem que almoçar ou jantar no aeroporto, se queixa, pois acha tudo muito caro. Aliás, tudo no Brasil é caríssimo.

Você vai fazer sua primeira viagem internacional; que máximo, e que inveja. Vai ter as emoções de ver pela primeira vez Buenos Aires, Nova York ou Paris, emoções que nunca vai esquecer. Mas prepare-se: para quem nunca fez uma viagem internacional, e para que ela seja o mais perfeita possível, algumas regrinhas são importantes. Facilite sua vida, não esquecendo de levar uma sacola de nylon vazia dentro da mala, para as inevitáveis comprinhas. Se me oferecessem uma volta ao mundo em hotéis trinta estrelas, tudo de graça, mas que eu não pudesse comprar rigorosamente nada, eu não iria.

Uma viagem começa muito antes do embarque: é quando a gente escolhe para onde vai, faz o roteiro, procura na agência, ou pela internet, o melhor preço — e para isso é preciso talento —, reserva os hotéis. Se você tiver a ajuda profissional de um agente de viagens, não se acomode, geralmente, eles só conhecem o óbvio do óbvio. Se você quiser, por exemplo, um hotel na Place des Vosges, em Paris, melhor procurar na internet ou perguntar a alguém muito confiável. Depois passe as informações para o agente cuidar dos trâmites burocráticos.

Foi-se o tempo em que a gente levava um caderninho cheio de anotações e dicas de viagens. Ok, para as mais sentimentais (como eu), a solução é levar nossos Moleskines *and* nossos aplicativos.

O FUNDAMENTAL

Não é difícil encontrar uma lista atualizada dos melhores aplicativos para viagens, quem usa adora. Com eles, você pode fazer reservas em restaurantes, ter informações sobre o tempo, controlar suas finanças, saber quais são os *hotspots* da cidade em que você está, consultar dicionários, mapas e GPS. E até localizar seu celular em caso de perda durante a viagem, tudo no seu celular e/ou tablet; no meu caso, acrescentaria um especialista boa-praça, para achar tudo isso no meu celular e/ou tablet, se eu os tivesse.

Quando tiver decidido para onde vai, leia sobre o país, procure saber dos costumes, ouvir as músicas, conhecer a gastronomia; quanto mais souber, mais vai gostar. É fundamental, trinta dias antes do embarque, uma dieta básica, para — lá — poder comer tudo o que quiser, sem se privar de nada. Vai voltar com uns cinco quilos a mais; nada de grave, diante dos prazeres que vai ter.

Não viaje com um jeans apertado, para não se sentir tentada a fazer um striptease dentro do avião. Sabe qual o ideal? Uma calça de malha de cor neutra, com elástico na cintura, dessas que se usa para fazer *jogging*, uma camiseta e um suéter, na mão ou na sacola. Tênis, de preferência um All Star, nada daqueles pavorosos de atleta; botas, nem pensar, pois em avião tudo incha, sobretudo os pés. Viajar de avião virou uma coisa banal, e na dúvida sobre a roupa da viagem, é bom lembrar que ninguém pode estar elegante nem ser feliz se não estiver confortável.

Malas, só de rodinhas, pois carregadores são uma espécie já extinta, e, por falar em malas, se a sua for uma preta básica, ponha na alça um pompom bem colorido, para não confundir com a de outro passageiro.

Uma vez peguei o Concorde de Nova York para Paris — aliás, um avião sem nenhum conforto, pior do que os que fazem a ponte aérea —, e entrou uma dessas modelos de beleza estonteante, vestida sabe como? Short, camiseta, sandália Havaiana, e na mão, uma sacola de plástico de uma loja qualquer. Ela exagerou no "casual", é verdade, mas era verão, ela era linda, e as chamadas "bem-vestidas" perto dela estavam de chorar.

Mas tem de tudo nessa vida: eu tenho uma amiga muito chique e muito complicada, que quando viaja leva dois xales de *pashmina*; um para botar em cima da poltrona, antes de se instalar, outro para se cobrir, para não usar a manta que o avião fornece. Pode?

Se é a sua primeira ida à cidade, faça o que tem que ser feito, assim que chegar: uma boa excursão, num bom ônibus de turismo, que vai dar uma ideia geral de onde está, sobretudo se for um país exótico. Sempre me arrependo de nunca ter feito isso em Londres, e apesar de ter ido lá algumas vezes, não consigo ter uma noção precisa da cidade. Mesmo em Paris, que conheço bem, nunca fiz uma excursão dessas bem turistonas, mas da próxima vez vou fazer e tenho certeza de que vou ter muitas surpresas.

Qualquer que seja seu destino, vá ao mercado da cidade, onde vai encontrar coisas lindas, inacreditáveis, e que só você vai ter, mais ninguém. Os mercados ainda não são globalizados, amém. Mas se for em Marrakesh, cuidado: tudo que tem no mercado você encontra em Paris — por onde você vai passar depois, claro — pela metade do preço.

Não se esqueça de anotar, e deixar no hotel, os números dos cartões de crédito e o telefone para onde deve ligar, em caso de perda ou roubo. No celular, é inútil; e se você perder?

Não é fácil falar no celular estando fora do país — para mim, é dificílimo. Então, logo que chego compro um por trinta euros, um crédito de cinquenta euros, e viro local, para reservar restaurantes etc. Se quiser ligar para o Brasil, é simples: faço o 00 + 55 + o código da cidade, em seguida o número, e pronto. Telefonar de qualquer hotel é sempre caríssimo.

Estipule quanto pretende gastar, não se esquecendo do IOF, imposto que incide sobre o cartão de crédito. Em Nova York, tudo que você comprar vai ser acrescido de uma taxa de um pouco mais de 15 por cento. O que significa que tudo que comprar vai te custar bem mais do que o preço que está na vitrine ou na etiqueta, pense bem se vale.

Não leve nada de maquiagem, deixe para comprar tudo lá, do algodão ao hidratante, do rímel ao *blush*. Vá à Boot's, em Londres, à Duane Reade, em Nova York — é uma rede, tem em cada esquina —, que não são caras. Mas, para variar, vá a uma caríssima, a japonesa Shu Uemura, no Boulevard Saint-Germain, em Paris, que é deslumbrante. Entre para dar uma olhada, mas resista; depois vá a qualquer Monoprix, onde você encontra produtos de beleza por cinco vezes menos. Mas que a Shu Uemura é o máximo, isso ela é, e os pincéis são de enlouquecer. Compre uma coisinha, pelo menos.

Os hotéis estão tão caros que, sobretudo no inverno, dá vontade de ficar naquele quarto quentinho, debaixo do edredom, tomando chá e vendo televisão, para amortizar a despesa, mas resista. Saia, ande, vá a tudo, veja tudo, aproveite tudo, coma de tudo, não se prive de nada. Cada vez que eu viajo penso que pode ser a última, então não deixo de fazer nada; e se tiver sido mesmo? E não esqueça a regra de ouro: quanto mais pobre o lugar para onde você vai, melhor deve ser o hotel — e vice-versa.

Por mais que tenham te dado dicas, por mais que você saiba (mais ou menos) o que vai encontrar, compre, antes de embarcar, um bom guia de viagem, aliás, ótima leitura para o avião. Marque o que você não vai querer perder, sob nenhuma hipótese, mas deixe espaço na agenda para o inesperado. Tão bom virar uma rua desconhecida, encontrar um café do qual ninguém falou, sentar e olhar as pessoas de um outro mundo, pessoas que você nunca vai ver de novo, não é fascinante? Como será a vida delas? Imagine, fantasie, delire, viagem é para isso também.

Mesmo que você não faça isso na sua cidade, vale o esforço: vá assistir a uma ópera ou a um balé, são sempre os melhores do mundo (nas capitais luxuosas, claro). Você vai se surpreender e ter muitas histórias pra contar. Mas é sempre bom ver a programação ainda no Brasil, e comprar o tíquete pela internet.

Não seja inibido: pergunte tudo o que não souber — ou não vai ficar sabendo nunca. Eu pergunto tudo, até nos restaurantes quero saber que prato é aquele da mesa ao lado; assim, tenho feito descobertas maravilhosas, e a cada dia que passa, pergunto mais, ninguém nasce sabendo. Por falar em restaurantes, em viagem, cuidado com mesas muito grandes, seis já é considerado multidão. Na França fale baixo, na Itália pode gritar, na Inglaterra murmure.

Que inveja de Jacqueline Kennedy, que quando viajava comprava o lugar dela e o do lado. Se seu companheiro resolver puxar conversa, finja que é muda, mas não se esqueça de que não vai poder abrir a boca até o fim da viagem.

Tenho uma amiga de São Paulo, que, quando vai ao Rio, prefere o ônibus leito e compra dois lugares; ela liga o iPod, e entre uma música e outra tem tempo de pensar, e adora. Essa amiga tem uma manicure, que como é a mesma há anos, sabe que não pode abrir a boca. Silêncio total. Ela descansa a cabeça, pensa, e não quer nem ver uma revista. Aliás, manicure que fala e massagem na cabeça e na testa depois de lavar o cabelo no salão, feita pelo assistente do cabeleireiro, socorro, é caso de chamar a polícia.

Isso me lembra Nelson Mandela, que disse ter saudades dos anos que passou na prisão, porque lá tinha tempo para pensar.

Passaporte, dinheiro, passagem de volta, cada um fica com os seus, mesmo viajando com o marido, com quem é casada há trinta anos. E se brigarem?

Se passar por uma revista rigorosa na chegada a um país estrangeiro, fique firme, não se altere, nada de mau humor, mesmo que você seja uma autoridade; aliás, sobretudo se for uma autoridade. É a lei, e diante da lei, somos todos iguais. Se você for confundida com uma perigosa espiã, talvez seja levada para uma salinha secreta, onde será obrigada a se despir. Pensando nisso vá com uma calcinha e um sutiã decentes — nada de fio dental — para não passar vergonha.

Bem pior que a viagem é o aeroporto; são milhares de pessoas, milhares de avisos indicando a porta de embarque, porta essa que é frequentemente trocada, milhares de quilômetros que você tem que andar em corredores longuíssimos, e dos atrasos prefiro nem falar. É preciso ter uma saúde de ferro e uma paciência infinita para enfrentar uma viagem. Conselho de amiga: volte uns quatro dias antes de recomeçar o trabalho, para se refazer das férias.

ABAIXO DE ZERO

Se for inverno e você não estiver pretendendo fazer um desfile de modas — e para quem, se ninguém te conhece? —, é fácil:

um jeans no corpo, outro na mala, uma calça preta, três suéteres, três camisetas, três pares de meia, um cachecol e um casaco para o frio. Você dorme com a camiseta, e no dia seguinte, na hora do banho, lava, junto com as meias e a lingerie.

Paris decretou, num dos invernos passados, que não há nada mais chique do que aqueles casacos que se usa na neve, de nylon, recheados de plumas, que esquentam, são levíssimos e baratos, que ótimo. Botas, curtas ou até o joelho — de chacrete, só até os 18 anos e se for um fiapo —, são fundamentais, e mesmo não sendo o cúmulo da elegância, um bom par de tênis, sobretudo se pretende conhecer a cidade a fundo.

Ah, um palpite: como é inverno, é bom evitar cores gritantes — vermelho, verde-bandeira, amarelo-ovo, que aqui nos trópicos fazem parte do nosso dia a dia, mas que lá fora são quase um escândalo. Ouvi dizer que agora estão na moda, e se chamam *block colors*; não adianta, a moda muda o tempo todo, mas é mais seguro apostar nas cores preferenciais: preto, marinho, bege, branco, assim não tem erro. Se for verão, muito mais fácil: jeans, camisetas, sandálias e um vestido, para quando quiser fazer um número de sedução, aliás, nem precisa: você compra lá. Ou faça como Ronaldo Fenômeno, que viaja sem malas, apenas com os cartões de crédito.

Você está viajando no inverno e tem um casaco de pele: leva ou não? Em alguns países, pode levar um balde de tinta na cabeça, mas na Europa todo mundo usa. Não estou falando de animais em extinção — usar um casaco de leopardo é crime mesmo —, mas quem não sabe que existem fazendas onde são criados os visons, as chinchilas e outros mais? E, se pensar bem, qual a diferença dessas fazendas e as de gado? Tirando os vegetarianos convictos, a humanidade come carne, usa sapato de couro etc., então, qual a diferença?

Eu não vejo, e aproveito para dizer que o politicamente correto me cansa bastante.

Bagagem de mão – kit de sobrevivência

O que não pode faltar:

- Ansiolíticos.
- Remédio para dormir.
- Anti-inflamatórios.
- Garrafinha de água.
- Barras de cereal.
- Joguinhos para crianças, de preferência escolhidos pelas próprias, no FreeShop — é o melhor investimento para ter sossego.
- iPad: um para cada membro da família.
- Lenços de papel.
- Caneta, para não ter que pedir emprestado ao vizinho.
- Hidratante.
- Colírio.
- *Gloss* incolor para a boca.
- Travesseirinho extra.
- Um livro: Proust, talvez no avião você enfim consiga
- Um fone de ouvido que acaba com o ruído do avião (compra no FreeShop). Faz uma enorme diferença no seu sono e conforto.
- Óculos escuros.
- Meias e suéter de lã, no avião faz frio.

- Um guia sobre a cidade para onde você vai, para marcar, com canetas de três cores diferentes, o que vai querer ver, o que não vai querer ver sob hipótese alguma, e o que ainda não tem certeza.
- E as três canetas de cores diferentes, claro.

VIAGEM CULTURAL

Prepare-se: vida de turista de primeira viagem é dura, às vezes uma tortura, pelas coisas que NÃO PODE deixar de ver.

Há os que querem ir a todos os museus, outros só a alguns, o fundamental é: pouca bebida na véspera, um café da manhã reforçado e coragem para ir à luta, luta essa que começa com a fila na porta. Uma vez, me achando muito esperta, comprei a entrada para uma exposição pela internet; quando cheguei na porta, havia a fila normal e a fila dos que já haviam comprado, como eu.

Se estiver com amigos, deve instituir a regra do "só vai quem quer", pois se tiver alguém reclamando, a cultura vai virar sinônimo de inferno. Mas e as crianças, que você fez questão de levar para que conhecessem as grandes obras de arte? Prepare-se: elas vão reclamar, mas leve; mesmo de cara feia e só olhando para o teto, alguma coisa eles estão captando e adquirindo.

Tenho um amigo que na sua primeira viagem a Roma foi direto ao Vaticano, e me mandou um e-mail dizendo que na Capela Sistina havia, segundo seus cálculos, 360 mil pessoas; ele saiu de lá correndo e disse que, a partir dessa manhã traumática, tinha encerrado a programação cultural, e não queria ver mais museu nenhum, igreja alguma, só passear pela cidade. E uma amiga passou duas horas e 15 minutos na fila do elevador para subir numa das torres da catedral de Gaudí, em Barcelona — aquela que se as obras correrem bem estará pronta daqui a cinquenta anos.

É mesmo difícil ter alguma emoção diante da *Mona Lisa*, com quinhentas pessoas em volta, todas tirando uma fotinha com o celular. Mais prático comprar um cartão-postal na lojinha do museu. E tem aquela história de um conhecido banqueiro, fóbico. Ao ser perguntado "Mas o sr. não sente saudade de viajar?". Ele respondeu: "Meu filho, depois do advento do Google, isso tudo está superado." Mas ouvi falar que os supervips podem marcar uma visita aos museus de Paris só para eles, às duas ou três da manhã, deve ser divino.

VIAJANDO COM CRIANÇAS

Com o dólar baixo e as viagens mais acessíveis, muitos casais agora viajam e levam os filhos, mas nem sempre a família que viaja unida permanece unida, pois viajar com criança é dose. Aos dois anos eles vão à Disney e a Miami, aos quatro a Nova York, e aos seis ou sete fazem um tour pela Europa (sete países em 21 dias). Quem vai a Nova York aos sete vai se lembrar de alguma coisa da viagem, além do susto com o tamanho dos edifícios, das montanhas de pipoca e de batatas fritas, e dos tênis que comprou? Claro que não, e nem a falar inglês vai aprender.

Nessa idade, a pessoa viaja mas não entende quase nada do que vê, a não ser que tenha estudado sobre o país, o que duvido que alguma criança faça. Aos 15 anos muitas delas já conhecem o mundo todo, mas não sabem de nada; ok, aprenderam a comer *escargots*, mas isso é pouco, do ponto de vista cultural, mesmo que se esteja falando de cultura gastronômica.

DENTRO DO AVIÃO

O avião é um recinto promíscuo, onde trezentas pessoas que não se conhecem compartilham do mesmo espaço para dormir, acordar, comer, beber, durante dez, 12 horas; então, faça com que nesse tempo as coisas aconteçam com o máximo de civilidade. É a obrigação mínima de quem vai conviver nessa intimidade. A não ser que você esteja na primeira classe da Emirates Airlines, onde vai ter um espaço para chamar de seu — uma suíte privativa, com minibar, armário e espelho. Tenho um amigo que, quando viaja — e ele viaja muito —, faz São Paulo—Dubai, e de lá toma a conexão para Paris, Londres, Nova York ou qualquer lugar do mundo para onde esteja querendo ir, e sabe por quê? Porque a Emirates, segundo ele, é a melhor companhia do mundo, e deve ser mesmo. Suíte privativa no avião? Ah, deve ser bom demais.

Não custa lembrar

- Beba água, litros de água, e não coma nada, só o café da manhã — e se estiver chegando a Paris, nem isso.
- No seu espaço, a mais perfeita ordem.
- Dobre o jornal depois de ler.
- Não vá descalça ao banheiro; quando for, que ele fique impecável. Não se esqueça de levar a bolsa com o passaporte e o dinheiro.

- Não incomode o vizinho.
- Se dormir, quando acordar, óculos escuros e uma escova básica nos cabelos.
- Quando sair do avião, que sua poltrona esteja sem vestígio de que algum ser humano passou por ali na última década.

CRUZEIROS

Basicamente, todo dia você recebe um impresso com a programação: previsão do tempo, coquetel do dia, promoções, jogos, torneios, festas, spas, aulas de jogos e de artesanato, jantares temáticos, cassino, shows, karaokês, música ao vivo, encontros de solteiros, e a cada dia a programação muda, que loucura é um cruzeiro. Quanta intensidade. Nas lojinhas tem aluguel de smoking, FreeShop, outras com "tudo que você esqueceu de pôr na mala e muito mais". E prepare-se para O Grande Baile do Comandante, que acontece normalmente na segunda noite: traje de gala.

Mas eu soube que mesmo com esse monte de atividades, você pode passar o cruzeiro inteiro sem fazer nada, e até tomar café na cabine. Oba, é nesse que eu vou, odeio essa história de ter que socializar.

e os
velhos
marinheiros?

Esses, que já viajaram muito, têm seus truques.

Em primeiro lugar, só viajam fora de época, para escapar dos museus lotados, restaurantes lotados, pontos turísticos lotados. Em plena alta temporada, em qualquer cidade da Europa, são tantos chineses, mas tantos, que seria mais simples ir diretamente para a China.

Veneza, só no auge do inverno — passar Natal e Ano-Novo lá é divino; Côte d'Azur (Cannes, Nice, Saint-Tropez, Mônaco etc.) só em janeiro e fevereiro, Capri em maio ou setembro, Marrakesh em novembro. Enfim, quando as cidades estão mais vazias. E não precisam ir a nenhum museu nem igreja, a não ser para rever coisas inacreditáveis, só.

Quando viajo, para não engordar — não muito —, faço assim: café da manhã com direito a três croissants com manteiga, almoço nem pensar, um chá à tarde, de preferência no Café de Flore, quando estou em Paris, e jantar cedo, evitando o pão. Depois dos quarenta, não dá para tomar café da manhã, almoçar e jantar, nem em viagem, nem nunca.

Em matéria de viagem, dou graças por já conhecer o Musée d'Orsay, o Louvre, o Beaubourg, o British Museum, a Tate Galery, o Vaticano, o Forum Romano, o Metropolitan,o MoMa e o New Museum em NY, a Tate Modern em Londres, a Fundação Miró em Barcelona, o Prado em Madri — para ver os Goyas e os Velásquez —, o Partenon, em Atenas, ufa. Volto quando quero, não por obrigação, ou quando tem uma exposição fantástica — e se ela for fantástica, vai ter uma fila enorme, e eu não sei se vou mesmo querer ver. Mas, quando me obrigam, sempre gosto. E, como já conheço, não preciso voltar à Grécia, com todas as ruínas e ilhas a que tive direito, Rússia, Mongólia, China, Japão, Tailândia, Índia, Paquistão, Tchecoslováquia, mais a América do Sul, Martinica, Barbados, Moustique, Granada, África do Sul e do Norte, ufa, e sei que estou me esquecendo de muitos outros, mas isso não é aula de geografia, ufa de novo, a vida de viajante não é fácil.

O QUE EU SEMPRE QUERO VER DE NOVO

Paris é uma cidade que adoro, e, claro, cada um tem a "sua" Paris que não divide com ninguém. Vou sempre ao Jardim de Luxemburgo, que, aliás, não é um, mas quatro. No inverno, quando as árvores estão nuas, sem uma só folha; na primavera, quando os brotos começam a crescer, verde bem clarinho; no verão, quando as árvores estão no seu auge; e no outono, quando as folhas vão ficando amarelas, vermelhas, depois caem, e você anda pisando nelas — são as famosas *feuilles mortes*, da música cantada por Yves Montand, com palavras de Prévert, que maravilha.

Gosto também de me perder em ruas desconhecidas das ilhas de la Cité e de Saint-Louis, de olhar a pirâmide do Louvre por fora, de ver de novo o túmulo de Napoleão, de andar sem destino no Marais, evitando as ruas movimentadas. Ando pelo cais do Sena olhando os dois lados, brincando de escolher o apartamento em que vou morar, e adoro comer aquelas coisas que só se encontra em Paris, tipo os *à la moelle* (tutano) com flor de sal e pão rústico, e se for inverno, todo tipo de ostras. Me levaram um dia no Le Bistrot à Huitres, onde só se come ostras, que são de dezenas de qualidades, e devem ser comidas pela ordem, que o garçom ensina. Elas têm nome, claro, e número, para indicar o tamanho. Existem as 0, as 00, as 000, as 1, 2, 3, 4; os franceses conhecem todas e pedem pelo nome e número, e há um tipo que só aparece dez dias por ano, que se chama "a pérola dos tzars", que tal?

Entrar num restaurante na França pode ser um importantíssimo evento cultural. Se for primavera, regale-se com os aspargos verdes; se for verão, com as cerejas, framboesas, frutas e folhas deliciosas. E tem coisa melhor do que descobrir por acaso um bistrô que não está nos guias, com preço fixo, que não tem menu mas um quadro-negro com os pratos do dia escritos a giz, e que acaba sendo o "nosso" bistrô, melhor do que os melhores restaurantes do Rio e de São Paulo?

Adoro a cultura da gastronomia: aprendi em Paris que o queijo parmesão, por exemplo, pode ter 6, 12, 18 ou 36 meses de maturação, e os presuntos também. E tem ainda as sardinhas *millesimés*, que levam de dois a seis anos para atingir o máximo de seu sabor; dos queijos nem vou falar, são mais de trezentos, que também devem ser comidos pela ordem, e cada um com um tipo de vinho geralmente da mesma região; quanto os vinhos, bem, passemos.

Adoro essa programação boba; em viagem eu gosto de não "ter que" nada, e sempre prefiro os bons momentos que tenho comigo a ver a mais fantástica obra de arte de um país remoto. Não sei se estou certa ou errada, e não estou dando conselhos. Cada um sabe o que privilegiar e fazer o que gosta de verdade, não indo nunca pela cabeça de ninguém, nem pela minha. Eu tenho a pretensão de passar por "local", mas não adianta, sou sempre identificada como turista.

Mas existem pessoas muito exigentes, e vou falar de duas que conheço: uma delas tem uma maravilhosa fazenda na Argentina. Esse meu amigo sai com seus convidados às sextas-feiras do Rio ou São Paulo (de jatinho, claro), para passar o fim de semana na estância, como são chamadas as fazendas por lá; como a dele fica pelos lados do aeroporto, quando chegam o carro já está esperando, e é só uma hora de estrada; eles passam dois dias e voltam no domingo à noite, sem nem querer saber de Buenos Aires. E tem o outro: esse passa temporadas mais longas — duas ou três semanas, mas várias vezes por ano — em sua casa de campo na Normandia (França). Pega um avião (ele é mais pobre, vai em um de carreira), quando chega, já tem alguém esperando, e ele vai direto para seu feudo; na hora de voltar, é aeroporto direto, sem nem passar pela cidade mais linda do mundo. Para eles, Buenos Aires e Paris, nem pensar, ai ai.

Hotel
um hotel

Existem hotéis e hotéis. E sinceramente: do que uma pessoa normal precisa, num hotel, para ser feliz? Um bom colchão, muitos e bons travesseiros, uma televisão, calefação e ar-condicionado, quando for o caso, lençóis e toalhas trocados todos os dias, telefone, wi-fi no quarto, e mais o quê? Ah, ser bem-localizado, para não depender de táxi o tempo todo; basicamente, é disso que se precisa, o resto é luxo.

Luxo é ótimo, mas custa caro, e num hotel de luxo você vai gastar, além da diária, montes de dinheiro com o preço de qualquer sanduíche, com o frigobar e as gorjetas. Será que vale? Bem, depende; se o preço da diária é acima de suas posses, então é melhor não, a não ser que seja só por dois dias, para brincar de rica. Aliás, brincadeira perigosa, porque com as coisas boas a gente se acostuma fácil, fácil.

Quanto mais primeiro-mundista for a cidade para onde você vai, mais modesto pode ser seu hotel; mas se for para uma aldeia no interior do Marrocos, não fique em nenhum que tenha menos de 18 estrelas, mesmo que seja caríssimo.

Se você, cheio da grana, resolveu ir para um hotel incrível, perca dez minutos do seu tempo perguntando ao *concierge* todas as facilidades que esse hotel oferece. Alguns têm spa com variados tipos de massagens (igual aos psi, cem euros por cinquenta minutos), cabeleireiro, manicure que atende no quarto, mais de um restaurante, piscina e nem sei mais o quê. Já que inventou, vá fundo e aproveite tudo.

Se suas intenções são mais modestas, uma tranquila semana num resort, informe-se antes:

1. Se eles aceitam crianças, só vá se estiver levando as suas; se não, desista, mesmo que já tenha assinado o cheque, muito melhor perder o dinheiro.
2. Se eles têm atividades, tipo o Club Mediterranée (fui passar uma semana, no dia seguinte arrumei minhas coisas e voltei correndo, tal a pressão para eu me socializar, pior que tudo na vida).
3. Se eles têm shows – ouvi dizer que é o último grito da moda, nos resorts –, mesmo que você se tranque no quarto, sempre ouvirá sons que vão identificar se quem está cantando é Sandy, uma dupla de sertanejos ou uma cantora baiana. É dura, a vida.

Já ia me esquecendo: se você tem mais de 15 anos, nada de compartilhar o quarto com uma amiga. Só se dorme no mesmo quarto em fase de grande paixão, ou com um bebê recém-nascido.

coisas com as quais vale a pena gastar

Já passei por diversas fases, do ponto de vista grana; nunca tive muita, mas houve tempos em que tinha pouca, muito pouca mesmo. Com ou sem, nada me irrita mais do que fazer uma compra errada, mesmo que tenha custado cinco reais. E quando compro certo, cada vez que uso o que comprei — seja calçando um sapato, sentando numa bela cadeira ou comendo um bom presunto cru — fico feliz, pensando em como gastei bem o meu dinheiro. Quanto mais se usa uma bolsa pela qual se pagou uma fortuna, mais se amortiza o que ela custou. Por isso, procure acertar o máximo possível — ou errar o mínimo possível —, seja numa sandália Havaianas, seja no apartamento em que vai morar. Meu lema já foi "na dúvida, compre"; agora é "na dúvida, não compre".

Boas malas — e por falar em malas, está aí um item que deve ser da melhor qualidade, pois é o tipo de coisa que só te deixa na mão quando você mais precisa, isto é: na hora de viajar. Eu tinha, há anos

— antes de virar moda —, três maravilhosas malas Vuitton, daquelas duras, com cantoneiras de metal dourado; eram lindas, mas não existem mais carregadores de malas nos aeroportos, e ficou difícil viajar com elas. Como tenho horror a grifes e logos, tentei outras marcas, mas não me acostumei. É preciso dizer que todos os produtos da LV são de uma qualidade fantástica, que as malas que eu tive durante décadas nunca me criaram um só problema, e eram deslumbrantes. Mas eu precisava de uma com rodinhas, fundamental nos dias de hoje.

Acabei entrando na LV de Paris e fiquei babando, mas a sigla me grilava; definitivamente eu não iria usar uma mala com o logotipo nem que me pagassem (usei durante séculos, mas hoje não dá mais). Eis que a vendedora me mostrou uma perfeita, tudo que eu queria na vida, e disse: "Como essas malas são muito visadas, elas têm uma capa de nylon marrom, assim as possibilidades de roubo diminuem enormemente." Ela me mostrou a mala com a capa, e vi que meu problema estava resolvido. Comprei logo duas; tenho agora as malas de melhor qualidade do planeta mas ninguém sabe que são LV. Essa marca se banalizou demais, mas com as capas as malas são perfeitas.

As mulheres mais estilosas têm também malas de verão, que, aliás, não são malas, mas sacolas de lona crua, de preferência da Hermès, ai, ai. Voltando ao que vale a pena gastar:

Você merece ter

- Bons suéteres de *cashmere* — *cashmere* inglês, não argentino —, que vão durar cem anos; os primeiros, você compra nas cores básicas — marinho, preto, cinza, bege, com decote redondo, em V ou gola rulê. Depois, vale brincar com um rosa, outro lilás, e cores que só existem numa bom *cashmere*. Para isso, vale a pena ir a Londres, onde você encontra os mais lindos na Burlington Arcade — onde aliás há uma lojinha que só vende relógios Rolex vintage, dá vontade de levar todos.

- O sofá certo — para sobreviver às gerações. Quando voltei de Paris, onde morei, trouxe um sofá maravilhoso que foi reformado e hoje está na casa da minha neta, aliás, da filha de minha filha. Sabe quantos anos ele tem? Nada menos do que 47, não foi uma ótima compra?
- Um excelente colchão e quatro travesseiros só para você — dois grandes, dois menores de pluma de ganso.
- Máquina de fazer gelo.
- Brincos antigos, assim não corre o risco de encontrar alguém com outros iguais.
- Um gato ou dois (de verdade).
- Roupa de cama de puro algodão.
- Toalhas grandes e felpudas, compre novas todo ano.
- Lingerie nova e bonita todos os anos. É uma alegria e um prazer particular. O dia 31 de dezembro é o dia de jogar no lixo toda a lingerie do ano anterior e começar a usar a nova, oba.
- Óculos escuros: se você quer ser bem estilosa, descubra um modelo e use sempre o mesmo. Se prefere se divertir, tenha vários, de todas as formas possíveis.
- Uma boa (e para isso precisa ser cara) carteira de dinheiro.
- Uma foto enorme de alguém que você admire, na parede da sala, pois é. Pode ser clicada por um grande fotógrafo ou arrancada de uma revista e emoldurada. Lindas fotos são arte, e os grandes fotógrafos fazem, como os gravuris-

tas, tiragens numeradas. Algumas custam milhares de dólares e hoje em dia existem no mundo todo colecionadores de fotos, sendo que algumas custam mais de cinquenta mil euros.

No que vale sempre a pena mesmo gastar é com coisas para sua casa, até porque, com o mundo cheio deste jeito, qualquer fim de semana é um estresse com engarrafamentos etc., e a melhor coisa do mundo, cada vez mais, é ficar em casa. Compre tudo que dê conforto e simplifique sua vida, da melhor cafeteira ao sofá mais fantástico e lindo do mundo, à maior e melhor televisão (a do quarto pode ser menor, mas eu não imagino viver sem), isso é melhor que tudo. Vestidos, sapatos, bolsas, viagens ficam para depois; em primeiríssimo lugar, a casa. Traga de suas viagens panos exóticos; com eles você cobre seu sofá sem ter que trocar o estofamento e faz almofadas divinas que vão dar um *up* em sua sala.

Antes de montar sua casa nova, compre todas as revistas de decoração que encontrar, nacionais e importadas, para sentir o lugar em que gostaria de morar. E só depois de ter certeza absoluta, comece a melhor aventura de sua vida, que é preparar sua casa. E se for sua primeira, parta para estofados brancos. Branco é a única cor da qual você tira TODAS as manchas lavando com água sanitária etc. Qualquer cor ou estampado tem uma hora que a mancha não sai mais.

Na fase tudo para a casa, que sejam incluídos todos os eletrodomésticos, de preferência lindos, úteis, e sem economia.

E que esse seja seu mantra: malas, restaurantes, lugares onde passar férias, relógios, sapatos, tudo, absolutamente tudo, se o mundo acha que está na moda, é porque não está mais.

Na bolsa

Uma mulher prevenida vale por muitas, e se você trabalha fora e sai de casa às dez da manhã, deve estar preparada para tudo, desde voltar para casa às cinco da manhã quanto não voltar e ir direto para o trabalho.

Naquela bolsa enorme que você leva para o trabalho, deve ter, além das chaves:

- Uma bolsa pequena, se for para a balada.
- Todos os produtos de maquiagem que você costuma usar, e que, pensando nisso, comprou em dobro.
- Óculos escuros.
- Lenços de papel.
- Escova de dentes, pasta e fio dental.
- Escova de cabelo.
- Um sapato de salto, se pintar um jantar.
- Uma camisa bacana, ou uma blusa preta que não amarrote, para o caso do jantar.
- Uma blusa para trabalhar no dia seguinte, se tiver emendado.
- Brincos.
- Camisinhas (aquelas) importadas.
- Um dinheirinho em espécie, se for jantar fora, para dar ao manobrista, isso se não for beber. Se for, vá de táxi.

tem que ter

✓ Um jeans escuro bacana, que dê para sair à noite
✓ Um jeans desbotado
✓ Um jeans preto
✓ Dois jeans brancos
✓ Uma calça cáqui
✓ Uma calça reta preta
✓ Uma pantalona preta
✓ Duas calças fantasia (de bolinhas, xadrez, o que você gostar)
✓ Uma camisa branca linda, para jantar num restaurante
✓ Um blazer preto bom
✓ Se puder, um blazer marinho, para ocasiões mais esportivas, mas não é essencial
✓ Um sapato extravagante
✓ Uma bolsa que levante o astral quando a roupa é simplesinha
✓ Uma sandália rasteira maravilhosa, bem cara
✓ Um relógio masculino discreto mas poderoso
✓ Um relógio de aço, ouro amarelo ou branco, mas sem NENHUM brilhante, por favor
✓ Se for moderna, um Blackberry, claro, e um iPad, claro
✓ Uma bolsona de couro para usar de dia; tem que ser A BOLSA, e não pode ser nem aquela que está na moda, nem a cópia daquela que está na moda
✓ Camisetas pretas
✓ Camisetas brancas

- ✓ Camisetas nas cores que você gosta
- ✓ Camisetas com escritos, só se forem vintage
- ✓ Mais de cinquenta? Camiseta de manga comprida que você usa com as mangas arregaçadas
- ✓ Uma roupa completa para eventos oficiais tipo casamento, incluindo bolsa e sapato
- ✓ Uma roupa completa para entrevistas de emprego e velórios, incluindo bolsa e sapato (a mesma serve)
- ✓ Botas de cano alto, como as de montar a cavalo, e nem pensar em salto; se for fino, pior ainda
- ✓ Muitas bolsas que não estão na moda e que mudam totalmente um look; com um jeans preto, camiseta idem e uma bolsa bem extravagante — de cristais, por exemplo —, você pode ir a qualquer lugar e arrasar. Em matéria de bolsas, tudo é possível
- ✓ Tênis All Star
- ✓ Muito importante ter muitos acessórios: pulseiras, colares, anéis, cintos, lenços caros e baratos, novos e vintage. Use tudo misturado, mas colares com colares, pulseiras com pulseiras etc. São coisas que você vai colecionando com o tempo, e se são antigas, nunca saem de moda — tudo é único e ninguém tem igual
- ✓ Se a grana estiver sobrando, umas botas de cobra, por que não? Afinal, a vida é curta, e elas não saem de moda, até porque nunca entraram. É bom, para conservar um lado rock 'n' roll

Uma amiga me contou que foi a um jantar e encontrou 12 moças usando sapatos de sola vermelha, Louboutin; isso é o que eu chamo de tragédia.

Segundo Chanel, se você tiver até 1,60m de altura, não deve nunca usar saltos altíssimos, porque não adianta; vai continuar pequena, e a perna vai ficar do tamanho do salto, em total desproporção.

Aprendi também com um vendedor de joalheria: ele conhece um cliente "triple A" (classe AAA; aliás, os bons assessores de imprensa já dividiram a classe A em A, AA e AAA) pelo sapato e pelo relógio. Sapatos bem-engraxados são sinais externos de riqueza, mesmo que você não seja rico.

E diamantes, claro. Seja como Lily Marinho, que tinha horror a diamantes pequenos. Mas eu tenho uma amiga tão, mas tão, que diz que diamantes não passam de pedregulhos; ela só usa pérolas. Verdadeiríssimas, claro.

E não custa lembrar: ter cara de rica envelhece.

não posso
viver sem

Um chuveiro sensacional, enorme, com água bem quente. Não é pedir muito. É uma questão de negociação com um (bom) encanador.

No box do chuveiro, um sabonete importado bem caro, que deixa o banheiro todo cheiroso. Um sabonete incrível e refinado é melhor do que o melhor dos perfumes.

Você conhece a perfumaria Santa Maria Novella? É uma das mais antigas do mundo, fundada por frades dominicanos em 1221, em Florença, e cheia de histórias maravilhosas. Lá foi criada a Acqua della Regina, especialmente para Catarina de Médici, coroada rainha da França, e que você encontra hoje, em São Paulo, com a mesma fórmula. Que tal um sabonete S.M. Novella? Só um? Só para você?

Gosto de ter comigo os livros de minha vida. Às vezes, quando um some ou estraga muito, ou emprestei e não me devolveram, compro outro, só para ter ali pertinho.

O equipamento eletrônico deve ser da melhor qualidade, para não se desesperar na hora do e-mail, da notícia, da impressão. Tem gente que tem uma televisão na sala e olhe lá, tem gente que gosta de assistir no quarto, cada um com seu cada um. Hábitos pessoais devem ser respeitados e bem-tratados.

Se você gosta de cozinhar, procure ter os melhores equipamentos de cozinha, e exclusivamente para você. Como certas empregadas são apegadas às suas velhas panelas, então as maravilhosas francesas Le Creuset ficam só para quando você entrar na cozinha.

Cortinas blecaute são fundamentais; a luminosidade no Brasil é violenta, e dormir bem é um direito e um luxo.

Se você é casada ou divide o apartamento com alguém, prepare um canto bem confortável para você, e que fique bem claro que esse canto é só seu. Uma luminária bacana, uma boa poltrona, suas revistas e livros pertinho. Gosta de flores frescas? Um vaso pequeno com três flores nem é tão caro assim.

Mas se você mora sozinha, a casa é toda sua, e não das visitas. Instale-se no melhor lugar, use diariamente sua melhor louça, encha a geladeira de Coca zero, e seja feliz. *Enjoy*.

Não posso nem pensar em viver sem

- Meus três gatos.
- Rita Wainer.
- Meu carpinteiro, Julio.
- Meu advogado, que além de ser o máximo é meu amigo.
- Poder decidir, com a maior liberdade, sobre a minha vida.

beleza, as plásticas

Ok, beleza não põe mesa, mas que ajuda, ajuda. Às vezes, quando estou num lugar onde tem muita gente, fico olhando as mulheres, sobretudo as menos bonitas, e pensando no que poderia ser feito para elas ficarem melhor, e faço milagres. Opero narizes, corto e pinto cabelos, emagreço gordas, troco as roupas que elas usam, os sapatos, mudo a maquiagem — na minha imaginação, claro —, e cheguei à conclusão: todas podem (podemos) melhorar. E é tão divertido mudar tudo. Vamos lá?

É curioso prestar atenção ao delírio das cirurgias plásticas. No Brasil, ou em Los Angeles, quem nunca passou por uma está completamente *out*. E não é nem um problema de idade: garotas de 15 anos querem ter mais peito — aliás, peito é uma coisa que entra e sai da moda, agora saiu; mas e o bumbum? E se elas sentarem e furar? Eu conheço uma que foi a um cirurgião plástico e disse: "Preciso botar uma boca para ir a um casamento."

É difícil, na França, ver uma mulher que tenha, ostensivamente, feito uma plástica. Elas envelhecem com mais serenidade, com mais calma. Mas no Brasil quem passou dos vinte está acabada. E como as mulheres andam nuas o ano inteiro, precisam estar com tudo no lugar — ah, por que eu não nasci na Sibéria?

Houve um tempo em que se faziam cirurgias radicais; acho que isso já passou, mas eu conheço uma mulher que disse ao médico: "Enquanto a anestesia estiver funcionando, você tem carta branca para fazer o que quiser." As puxadinhas hoje são mínimas e mais frequentes, e agora existem os "procedimentos". Por procedimentos, entenda-se: mini-injeções em diferentes pontos do rosto, que dão um *up* mas têm que ser constantes. O que é injetado muda a cada três meses, pois a indústria da beleza é poderosa e está sempre criando mais produtos e cremes. Alguns caríssimos, mas as mulheres sempre dão um jeito de comprar, mesmo empenhando a própria alma. Tem um de caviar que custa quatrocentos ou quinhentos dólares, não sei, porque nunca comprei — e nem vou.

Segundo uma amiga muito ligada à estética, as três grandes descobertas da ciência, nos últimos anos, foram a lipoaspiração, a escova progressiva e o *megahair*.

A escova progressiva mudou a cara do Brasil; seja qual for a cor da pele, do Oiapoque ao Chuí, as novas brasileiras têm os cabelos tão lisos quanto os de uma japonesa, e viva a "ciência"! Mas atenção, só tem uma escova progressiva boa: a primeira. Depois, a qualidade do cabelo só piora.

E uma observação de quem muito já sofreu, e continua sofrendo — eu —, por causa de cabelos. *Megahair* é ótimo enquanto se espera que eles cresçam, mas é caríssimo e dá duas grandes alegrias: no dia em que se bota e no dia em que se tira.

Quando for a Paris, compre uma luva de crina em qualquer farmácia — ou uma bucha aqui mesmo, na feira do seu bairro. Na hora do banho, esfregue a bucha no corpo inteiro; vai doer, e quanto mais doer, melhor: renova a pele e ativa a circulação. Depois, use montes de hidratantes, para ficar com a pele macia como uma nuvem. Tem que ser como escovar os dentes: todos os dias. Existem dermatologistas que são contra, mas eu sou viciada.

Uma semana *al mare*, sem cabeleireiro, manicure etc. é o paraíso, mas quando voltar para casa é fundamental tomar um longo banho de chuveiro, depois encher a banheira, botar um óleo bem cheiroso, e ficar dentro dela por umas três horas. Depois, vá correndo a um salão de beleza fazer tudo a que tem direito.

Vi na televisão outro dia uma publicidade: "Lipo sem cirurgia, em 18 vezes"; quase telefonei para perguntar se era com ou sem juros.

PEQUENOS TRUQUES

Antes de se deitar, tire toda a maquiagem e depois passe um bom hidratante no rosto e no pescoço.

Nunca exagere na maquiagem, a não ser que ainda não tenha chegado aos vinte, para brincar; nessa idade pode tudo.

Não use, jamais, uma sombra de olhos combinando com o vestido, tipo prata, ouro, verde, lilás, azul.

Aos vinte você se olha num espelho de aumento; aos cinquenta, melhor se olhar de longe e ver se está agradando.

Unhas, de preferência curtas — curtas, sim! — e cuidado com a cor do esmalte, a não ser para brincar, e só por uma manhã, na praia, combinando com o biquíni. Esmaltes de cores bizarras estão na moda, mas é estranho uma mulher de unhas azuis.

Por falar em exagero, cuidado com o excesso de pó de arroz, de *blush*, de batom; dos vermelhos, nem vou falar.

Em matéria de batom, prefira um *gloss* cor da pele, com pouquíssimo brilho.

Alguma maquiagem é fundamental, todos os dias, mesmo nos fins de semana, mesmo que esteja sozinha em casa. Mas a maquiagem não pode brilhar, nem você ficar com cara de tijolo.

Quando já estiver na cama, passe um creminho nos cotovelos, nos calcanhares e nos joelhos, pontos críticos (e horrendos) de todas as mulheres.

Se o seu rímel acabou, sumiu ou foi roubado, peça para uma amiga comprar e mandar por um motoboy, amigas são para essas coisas. Nunca saia de casa sem ele, em nenhuma hipótese, e só nas pestanas de cima, nas de baixo pode escorrer. Já pensou na tragédia?

Cuidado com as camisetas curtinhas, com o umbigo de fora.

Cuidado com as camisetas com dizeres engraçadinhos.

Em países tropicais, como o nosso, jamais saia do banheiro sem o protetor solar; conheço uma que, em dias de sol, dirige o carro de luvas para não manchar as mãos, que tal?

Cuidado com as sobrancelhas; se você fizer qualquer coisa de errado nelas, acaba com seu rosto.

Não use, jamais, lápis para fazer o contorno da boca.

Depilação, nas axilas e nas pernas, e pés cuidados toda semana – não é porque é inverno que pode ser de 15 em 15.

E nunca, nunca, nunca atrase 24 horas para pintar a raiz do seu cabelo que já está branca, que vida. Pense sempre que você pode ser atropelada, ter um infarto, resolver ir para Paris naquela mesma noite, enfim, podem acontecer coisas que vão tornar a ida ao cabeleireiro impossível por uns dias, e das consequências disso, prefiro nem falar.

Mas digamos que você resolveu fazer um gênero, ou francamente cansou e resolveu deixar seus cabelos brancos. Se teve a coragem, prepare-se: mais do que nunca o corte tem que estar impecável, a pele, se possível, bronzeada – como a diretora do FMI –, Christine Lagarde, os dentes prontos para um comercial de dentifrício, e o resto perfeito, mais do que perfeito.

E saiba: como todos os cremes são mais ou menos iguais, não vale a pena se arruinar para ter os mais caros, um bom creme nacional é tão bom quanto o melhor creme francês.

a turma
da tarja
preta

A ciência finalmente descobriu que não basta curar, é preciso também amenizar ou apenas manter a dor em níveis possíveis de ser suportada. Os cientistas passam a vida dentro de laboratórios fazendo experiências não só para salvar nossas vidas, como também para que não se sofra — ou se sofra o mínimo. Mesmo assim, volta e meia ouço pessoas se queixando, por exemplo, de dor na coluna. "E está tomando o quê?", pergunto. A resposta é: "Nada, não gosto de tomar remédios." Se não dormem, estão nervosos, com dor de garganta, ansiosos, seja lá o que for, seguram, não tomam nada — e continuam sem dormir, ansiosos, cheios de dores, e eu não consigo compreender essa turma.

Sou totalmente a favor da medicina do *feel good* (em português, bem-estar): antidepressivos, ansiolíticos, anestésicos, remédios contra a dor, que não curam mas aliviam o sofrimento e o bem-estar, físico ou psíquico. A ideia é proporcionar conforto ao doente; e não faz sentido sofrer, se dá pra não sofrer.

Mas é preciso saber o que se está tomando. Uma vez, saindo de Nova York, estava ao meu lado uma moça aflita, dizendo que não conseguia dormir em avião. Alguém ofereceu uma pílula dizendo que era tiro e queda, que ela dormiria como um anjo. Ela tomou, se cobriu com a manta e acendeu um cigarro (como se vê, essa história tem séculos). Ela caiu dura, e a comissária teve que jogar uma garrafa de água na manta, que estava pegando fogo.

Outra história, com o mesmo medicamento: um médico estava em casa, tomou sua pílula e adormeceu. Um tempo depois, o telefone tocou, era uma emergência. Ele foi ao hospital, cuidou do doente, voltou para casa e voltou a dormir. Dois dias depois recebeu um telefonema, perguntando se não ia dar alta ao paciente. Ele simplesmente havia se esquecido de tudo. Pista para os curiosos: essa pílula é azulzinha.

profissões que não existem mais

- ✓ Uma cozinheira de forno e fogão; você conhece alguma amiga que tenha? Houve um tempo em que existiam as do trivial — faziam carne assada, etc. — e as do trivial fino — empadão de camarão, etc. — que ainda botavam anúncio no jornal, se oferecendo. Eu tive várias, e era uma maravilha, sempre tinha jantar para mais dois ou três que aparecessem de surpresa, e se viesse alguém à tarde, sempre pintava um bolo, uns biscoitinhos, tudo feito na hora. Hoje, se chegar alguém na minha casa sem avisar, eu ofereço água, pois nem café sei fazer, que vergonha.
- ✓ Um médico que venha em casa (eu tenho, eu tenho!).
- ✓ Um profissional faz-tudo, que seja ao mesmo tempo bombeiro, eletricista e marceneiro, que tenha uma furadeira para pendurar o quadro e venha na hora em que você chama, ou você morre. Um bom porteiro pode resolver todos esses problemas; trate o seu com o maior carinho e dê sempre uma graninha, claro.
- ✓ Um mordomo.
- ✓ Uma governanta — deve ser uma maravilha ter uma. Os homens têm muita sorte, pois quando se casam, está implícito que, com a mulher por quem estão apaixonados, costuma ir uma governanta, que inveja.

- ✓ Um técnico de TV a cabo que apareça na hora em que mais se precisa. Aliás, uma televisão deveria ter apenas três botões: um para ligar/desligar, o segundo para aumentar/baixar o som, e o terceiro para trocar de canal.
- ✓ E alguém que entenda de *wireless*, de roteador, que seja rápido e venha na hora combinada.

Antigamente os eletrodomésticos eram feitos para durar, e quando quebravam, vinha o técnico, trocava as peças etc. Hoje em dia têm prazo de validade, e o conserto pode sair mais caro do que comprar outro. A indústria conspira para que você gaste muito dinheiro. Sempre.

AS NOVAS PROFISSÕES

Existe alguma coisa pior do que ter que ensinar tudo à empregada nova? Pois agora existe uma profissão maravilhosa: uma pessoa vem à sua casa, tem uma longa conversa com você, para saber de seus hábitos, como a casa funciona etc., e volta no dia seguinte para explicar à nova funcionária tudo o que ela tem que fazer. E é claro que ensina melhor do que você, que nessa hora está no cinema. A minha se chama Zeca, que, além de ensinar, resolve qualquer problema, tipo arrumar armários, estantes, fazer mudanças, e sempre divinamente bem. Se eu quiser dar um jantar ela apresenta várias possibilidades, e todas funcionam na perfeição. Se a Zeca mudar de país, eu mudo também.

luxos

Já foi mais fácil viver; a população do planeta era menor, os lugares mais vazios, menos barulhentos, não havia trânsito nem violência. Fomos obrigados a acelerar a vida, mas sobrou tempo para lembrar, com saudade, dos luxos que existiam no passado, e sonhar, com esperança, com luxos que gostaríamos de ter no futuro. Sonhar, afinal, não custa.

SÃO — OU ERAM — LUXOS

- Uma praia — não chego a dizer deserta, mas razoavelmente vazia
- Um táxi sem o rádio ligado e com o motorista mudo (a não ser em véspera de eleição)
- Um táxi em São Paulo, mesmo com a temperatura a quarenta graus, com o ar-condicionado ligado

- Um táxi em São Paulo que conheça o endereço para onde você quer ir
- Qualquer lugar – banco, supermercado, cinema, balcão de companhia aérea – sem fila
- Um restaurante silencioso e sem música ambiente
- Exclusividade
- A primeira classe da Varig
- O primeiro *dry martini* na primeira viagem a Nova York
- Silêncio
- Espaço
- Privacidade
- Não ter patrão
- Não ser patrão
- Ter $$$ o suficiente para não precisar se preocupar
- Acordar de manhã sem um só problema para resolver
- Ser dono do seu tempo
- Não ter bens espalhados pelo mundo, para não ter de administrar
- Uma pílula que deixe a gente comer tudo o que quiser e não engordar
- Poder telefonar para um amigo, contar uma grande novidade e ter o prazer de ouvi-lo dizer: "Não acredito, não pode ser verdade, jura?" Esse prazer, depois da internet, nunca mais.

Tragédias do presente

- Ligar para qualquer 0800.
- Tentar reclamar de uma conta de telefone de qualquer operadora.
- Ter que saber, de cor, o número da identidade, do CPF, do CEP, das senhas do banco, dos cartões de crédito, da senha do computador, da UOL, do Skype, saber pagar as contas pela internet e saber usar o iToken do banco, que muda a senha a cada minuto, ufa.
- Esquecer qualquer senha.
- Procurar o carro no estacionamento de um shopping — e quem lembra onde deixou?
- Uma churrascaria no Dia das Mães.
- Remarcar uma passagem de avião; certas companhias avisam — por uma gravação, claro — que para remarcar, só indo à loja, isto é, ao aeroporto. Mas quando você telefona para comprar, te estendem um tapete vermelho e você até consegue falar com um ser humano, na próxima vou ao Procon.
- Teatrinho infantil com filhos e amiguinhos dele, com direito a lanche, e depois levar os amiguinhos em casa.
- Engarrafamento.
- Ficar preso em enchente.
- Se perder dos amigos num bloco de Carnaval.
- No meio de um assunto palpitante, seu interlocutor dizer que tem que atender a outra linha, que volta a ligar. Você evita ocupar o telefone, e ele não liga.
- O contador ligar pedindo um papel que você nem sabe do que se trata.

as novas famílias

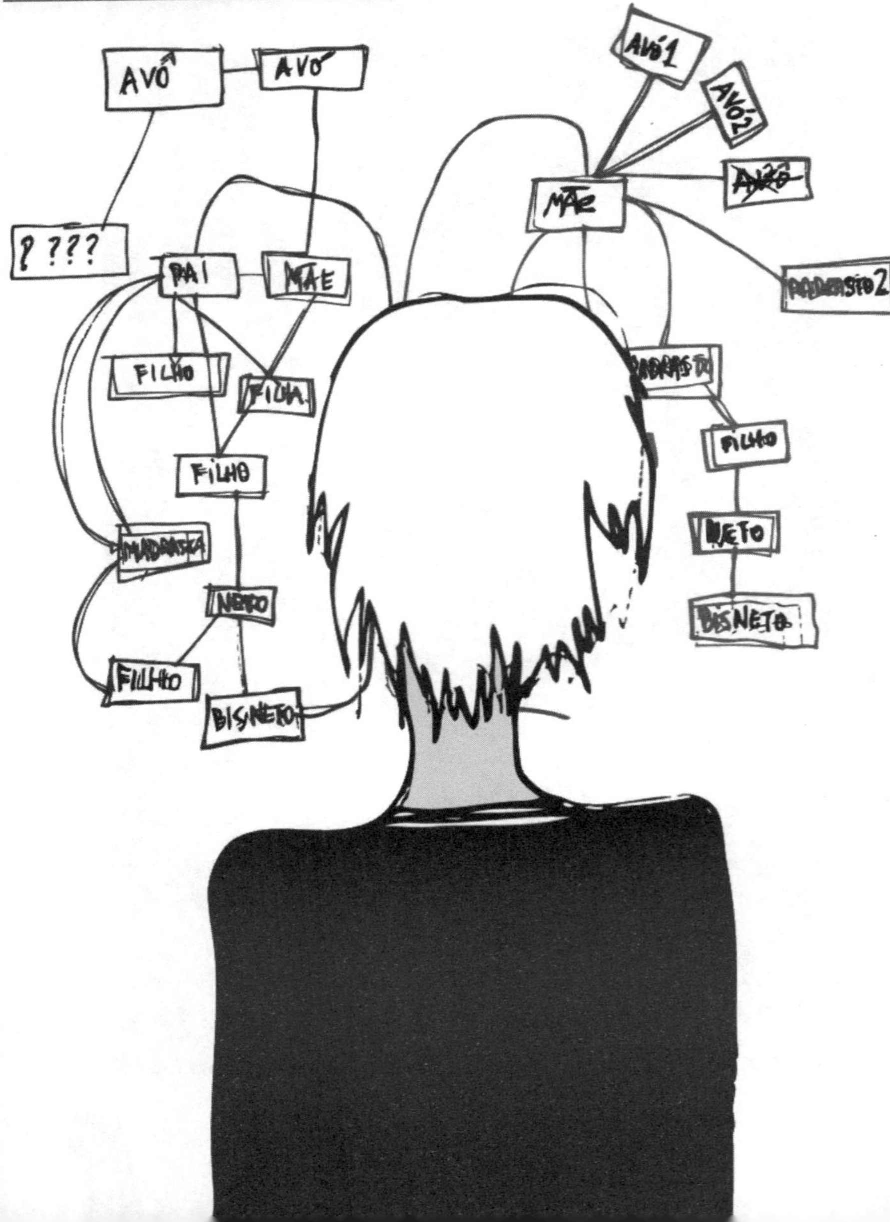

Já foi mais fácil organizar uma noite de Natal; vinha a família, e pronto. Só que a família começou a crescer para todos os lados e das mais variadas maneiras, e ai de quem não se adaptar aos novos tempos: vai acabar passando o Natal inteiramente só — o que talvez não seja má ideia.

Tem de tudo: desde o filho com quarenta anos que não pretende sair de casa para não encarar o aluguel, as contas, a maturidade, enfim, até as filhas — algumas preferem morar sozinhas — e ainda tem os casamentos gays, em que às vezes um dos cônjuges já vem com um filho, e outros que pretendem adotar. Uma coisa me parece certa: quem mais quer se casar são os gays (e uma amiga me disse que quando legalizarem o casamento gay, vai estar na hora de proibir o casamento hétero, já que está provado que não dá certo). Outra amiga, solteira, jovem, bonita, de sucesso, me disse que não pretende ter filhos, mas que um dia talvez adote. E nem mencionou a palavra casamento.

Existem também os casais que decidiram não ter filhos, o que é um direito, direito aliás que não existia no passado. As famílias pressionam, os amigos perguntam, no início eles disfarçam, até que um dia têm a coragem de dizer que foi uma decisão tomada: eles não querem filhos. As pessoas não entendem — aliás, as pessoas só entendem quem pensa como elas —, e eles passam a ser considerados, no mínimo, bizarros. Como assim, alguém pode não querer ter filhos?

Quem quiser fazer uma amostra das novas famílias, deve se preparar e encarar tudo: vários meios-irmãos, o ex-marido e seu novo cônjuge (seja de que sexo for), padrastos, madrastas, membros da família do ex-cônjuge e avós em profusão. Relaxe e aproveite; quem sabe você não encontra, nesse caleidoscópio, o amor de sua vida? Ou vários?

Como conviver com as(os) namoradas(os) dos(as) filhos(as)?

Como uma amiga, nunca se afeiçoando demais, nem tomando partido algum; o troca-troca é infinito, e o melhor é manter sempre uma neutralidade, como se tivesse nascido na Suíça. E mesmo que eles se casem e tenham muitos filhos, continue na mesma linha.

Como conviver com namoradas dos pais ou namorados das mães?

Mais ou menos na mesma linha, não implicando, nem fazendo pequenas intrigas para detonar a relação. Cada um tem a sua vida, pense na sua, dedique-se à sua, e deixe seus pais namorarem bastante. Pais e mães felizes são fundamentais para a felicidade dos filhos (e para deixá-los um pouco em paz).

E o tal do ficar?

Bom, isso eu não conheço. Quando meus filhos estavam na idade de ficar, eles se viravam por conta própria, e eu também nunca levei namorado para dormir em casa. Tudo era mais complicado, numas, mas também mais simples, noutras. E uma aventura em viagem não se chama ficar, mas *casual sex*.

Como conviver com os ex?

Bem, depende de como foi a separação. Nenhuma costuma ser perfeita, então que seja pelo menos civilizada. Mas é melhor que não fiquem muito amiguinhos, tipo almoçarem juntos com frequência etc. Tem sempre um que provoca um encontro para falar de alguma coisa e que tenta, nos aniversários das crianças e nos Natais, fazer com que todos se reúnam, pelo bem da família. Se um quer, é claro que o outro não quer, pois se os dois quisessem não teriam se separado. E é melhor que as crianças saibam exatamente qual é a situação dos pais, para não terem ilusões quanto a uma possível volta etc.

Crianças

Eu adoro crianças, mas que é difícil educá-las, isso é. Então, muita calma e muita paciência. Ensine — exija — que eles digam bom-dia, boa-noite, obrigado, por favor, desculpe; que estão proibidos de bater a porta com força e de dizer palavrões, na hora da briga; no dia a dia, quase todo mundo fala, tudo bem, e se eles obedecerem, já é meio caminho andado. Mas li num jornal que, na quadra de esportes de um condomínio em São Paulo, se alguém falar uma palavra considerada feia, leva uma multa de seiscentos reais. Como tem gente louca no mundo.

mundo
gay

Houve um tempo em que se dizia, baixinho, "ele é gay". Hoje se diz baixinho "acho que ele é hétero", pois nunca se sabe. As boates gays são muitas, as mais animadas, e esse mundo é dividido em duas turmas: os que saíram do armário e os que ainda não. Estes acham que estão enganando, mas quem tem um bom olho sabe, desde o primeiro aperto de mão, que é só uma questão de tempo (e o tempo é precioso).

Aliás, como sair do armário? Manda imprimir um cartão, participando? Apresenta o amigo como "meu namorado"? Isso me lembra a história de dois gays, já mais velhos, que se encontraram no elevador. Um deles apresentou um garotão, dizendo: "Você conhece meu sobrinho?", ao que o outro respondeu: "Conheço, ele foi meu sobrinho no ano passado." Pano rápido.

Voltando a falar sério: não sou capaz de dar um conselho. Mas não acredito que seja preciso uma reunião familiar para contar. Com o passar do tempo, pais e mães vão pouco a pouco entendendo, pouco a pouco aceitando, mesmo na dúvida. Pais e mães, aliás, adoram ficar na dúvida. Se seu pai fosse gay, será que ele te contaria? Claro que não. Ninguém tem nada a ver com a vida sexual dos outros, e se você tiver certeza de ser gay, pare de ficar sofrendo, se escondendo e fingindo — mas também não precisa se exibir. Aja naturalmente, e o mundo também te compreenderá naturalmente.

Se seu filho — ou filha — comunicar que é gay, a primeira coisa a dizer é a frase do século: "O importante é que você seja feliz", acrescentando "mas até que eu me habitue, pediria que não trouxesse o(a) namorado(a) para uma apresentação oficial, tipo 'mamãe, quero que você conheça Fulano(a) de quem tanto te falei', que também evite beijos na boca na minha frente, e não os(as) traga para jantar nem para dormir, pelo menos por uns tempos". Aliás, cenas explícitas de paixão devem ser evitadas em público, sejam quais forem os sexos do casal. E se você for convidada para o casamento de seus dois(duas) amigos(as) gays, vá bem bonita e compre um lindo presente para celebrar a felicidade dos que se amam.

As mães só são burras quando querem, então basta dizer tudo simplesinho, tipo "mamãe, esse(a) é Fulano(a)", e fim de papo. Não há necessidade de deixar claro que é com ele(a) que você vai para a cama.

Eu conheço mães que adorariam ter um filho gay; aliás, você já notou como os gays e suas mães são unidos? Eles saem juntos, viajam juntos, dizem como elas devem se vestir, e elas têm a felicidade de não ter uma nora, o que é sempre motivo de guerras por ciúmes, aliás, ciúmes totalmente justificados.

Hoje em dia temos também os gays *old style* que são como os já descritos, mas de uma nova geração; são mais jovens, mais sérios e engajados politicamente na causa GLBTS (gays, lésbicas, bissexuais, transexuais e simpatizantes). Essa é uma nova tribo dentro da tribo gay, que leva tudo a sério e raramente sorri.

E fico pensando: se os gays querem namorar os homens, e as mulheres também, é claro que não vai haver homens suficientes no planeta para atender aos dois mercados.

os tabus
familiares
dos quais
ninguém
fala

Mães, avós, sogras, essas incompreendidas. Eu sei do que estou falando, porque sou as três; tenho procurado me adequar às situações, mas às vezes não consigo e dou uma pisada feia na bola. E quem não dá?

O MILAGRE DA MATERNIDADE

Mãe nasceu pra sofrer: você espera pelos filhos nove meses, tem as dores do parto, amamenta, acorda de noite por causa da dor de barriga, educa, ama, adora; um dia eles se apaixonam e querem que você goste e trate muito bem quem apareceu para levar embora seus filhos queridos. Quando isso acontecer, prepare-se: você vai falar com eles muito menos, vai vê-los muito menos, vai sofrer muito, e é claro que isso não é justo. Pergunte se, num naufrágio, tendo uma só boia, ele(a) vai salvar você ou ela(e). Sabe qual vai ser a resposta? "Mamãe, você é louca." Isso para disfarçar e não responder, claro. Sogra e nora/genro não foram feitos para conviver bem, isso é ponto pacífico, e não tem solução. Você acha que a rainha Elizabeth se dava bem com Diana, ou adora Camilla? É claro que não. Mas mesmo diante de todas essas evidências você tem que adorar e paparicar muito sua/seu nora/genro, para que seus filhos lembrem que você existe.

É curiosa a relação mãe/filho. A felicidade de um filho é ter uma mãe que tenha uma vida pessoal boa, animada, independente, e que não dependa dele para ser feliz. Com uma mãe assim, ele não sente culpa por não ter telefonado, não ter ido vê-la no domingo, ter ido passar o Natal em Nova York, ter esquecido o aniversário — e nada melhor do que não sentir culpa em relação à mãe. Por isso, mães, sejam muito felizes, para que seus filhos também possam ser.

E aprenda: quando estiverem reunidos e você perceber que seus filhos dão muito mais atenção aos filhos deles do que a você, prepare-se para sofrer — mas não demonstre, nem faça cara de vítima, em nenhuma hipótese. O amor da mãe por um filho — de cima para baixo — é muito maior do que o amor do filho pela mãe — de baixo para cima. E não adianta ficar triste, é assim, e quando os filhos de seus filhos tiverem filhos, eles também vão ficar tristes e vai ser absolutamente igual, porque a vida é assim, e pronto.

DEVERES DE UMA MÃE

Para serem felizes, as mães têm que aprender muitas coisas, sendo a primeiríssima delas: mãe não tem nada com isso. Vou falar mais alto: MÃE NÃO TEM NADA COM ISSO, aliás, com nada. Para elas, tudo que os filhos fizerem estará sempre lindo. Tem que ser mais ou menos assim: "Vai casar? Maravilhoso. Vai separar? Maravilhoso", isso quantas vezes for, sem jamais, jamais, perguntar as razões etc. etc., tudo que qualquer mãe adoraria fazer. E não se iluda fazendo perguntas ao outro(a) filho(a): irmãos são sempre aliados contra as mães.

A mãe ideal deve estar sempre de bom humor, e não se queixar, nunca, de nada.

Telefonar pouco, e jamais depois das dez da noite para a casa deles — a não ser em caso de fratura ou infarto. Aliás, melhor ainda: não telefonar nunca. Quando a mãe liga, eles estão sempre ocupados, fazendo alguma coisa, e raramente têm tempo para uma conversa relax; e muitas vezes não atendem o celular, porque sabem que é ela, e com razão: mãe tem mania de telefonar.

Mãe tem que ser tolerante, ter paciência, estar sempre à disposição para ouvir o que o filho quiser contar, em detalhes: as reuniões de trabalho, as queixas da secretária, o dinheiro que não entrou na conta etc., e mesmo sem nenhum interesse na história ela adora, já que é ele que está falando. Mas deve evitar telefonar quinhentas vezes para saber se está melhor do resfriado, se o bombeiro consertou a pia, se a empregada nova sabe cozinhar, para não parecer o que no fundo é verdade: que ela pensa nele o tempo todo, filho tem horror a mãe assim. E não espere ter o supremo prazer de ouvir nada contra a namorada ou a mulher; ele sabe que tudo se voltará contra ela na hora da briga.

Filhos costumam ser muito rigorosos com pais e mães. Se a mãe do amigo é louca, eles acham "um barato"; se for a deles, é um drama. Algumas coisas devem ser evitadas, para não acirrar os ânimos: ficar de mãos dadas ou se beijar na frente da mãe, por exemplo. Ciúme de mãe é mortal.

Mãe não deve, jamais, usar roupas para parecer mais moça, sobretudo diante dos filhos. Tem que ser circunspecta, não dizer gracinhas, ou melhor, não dizer nada, a não ser que perguntem, por gentileza, já que ninguém está interessado no que ela diz.

Recebi um e-mail de uma leitora dizendo, com todas as letras: "Tenho cinco filhos casados, portanto cinco noras, e aprendi a fechar os olhos, fechar os ouvidos, fechar a boca e abrir a bolsa." Uma sábia.

DIREITOS DE UMA MÃE

Esperar que o filho telefone, talvez, no Dia das Mães. Se isso acontecer, esteja preparada para ouvir que ele vai passar para dar um beijo — já que a namorada está vendo a mãe dela —, e se você pode providenciar um almocinho. A visita vai durar até a hora que o celular tocar, a namorada dizendo que já está indo para casa. Já a filha, que tem seus próprios filhos, vai fazer do Dia das Mães o dia dela; então, prepare-se para sofrer, mas passa.

No dia do seu aniversário, um conselho: telefone às onze da manhã e vá logo perguntando: "Não vai me dar os parabéns?" Melhor do que passar o dia sofrendo, sem saber se os filhos vão ligar ou não — e as chances de eles não ligarem são enormes.

Prepare-se para receber dos seus queridos filhos telefonemas do carro — e só do carro —, quando estão indo do trabalho para casa. Do escritório não podem, pois estão muito ocupados, e de casa não podem, para não roubar um minuto do tempo dos cônjuges, que vida.

DEVERES DE UMA AVÓ

Estar sempre vestida de maneira convencional, se possível com um colarzinho de pérolas.

Dar sempre lindos presentes, de preferência um cheque, mesmo que o neto seja um recém-nascido; segundo o filósofo Luiz Felipe Pondé, dinheiro compra tudo, até o sorriso de uma criança.

Quando for visitar, levar sempre uma lembrancinha e não estender a visita por muito tempo.

Estar sempre à disposição quando os pais vão passar o fim de semana fora.

Não falar muito, até porque ninguém vai prestar atenção; mas se ousar, um único assunto é permitido: as crianças.

Pode e deve fazer perguntas, tipo: se o bebê acorda de noite, se ainda toma mamadeira, se já está comendo papinha, qual foi a última gracinha, com que idade vai para a creche, enfim, esses assuntos palpitantes — sobretudo para avós atuantes, interessadas em política, economia, que lidam com nota fiscal, guias de impostos, Cofins, o ISS da empregada, que precisam saber se o passaporte ainda está válido, se o mensalão vai dar em alguma coisa etc.

Ficar enternecida quando olha os netos, com direito a lágrimas.

Mas pode acontecer — obrigações à parte — de você se emocionar de verdade com a visão de um neto que acabou de nascer. Sabendo que corre esse risco, já entre na maternidade de óculos escuros, os maiores que tiver. O quarto vai estar cheio de avós, tias, amigos, cada um tirando fotos com seu celular. Não permita, mas não permita mesmo, fotos de celulares são cruéis. Você levou anos construindo uma reputação, não deixe que ela se perca assim, em segundos.

Mas se foi praticamente obrigada a passar por tudo isso (quem resiste ao pedido de um filho?), vá depois para a varanda fumar aquele cigarro para emergências que sempre leva na bolsa— e essa é, sem dúvida, uma superemergência.

Mas certas avós não valem nada: eu conheço uma que, quando a mãe natureba vira as costas, ela dá chocolate e Coca-Cola para a criança, que, aliás, adora.

Mas sejamos justos: essas mães e avós que fazem tudo ao contrário do que — dizem — mãe e avó devem fazer, também não obrigam seus filhos a nada, ou a quase nada. Nem almoços de domingo, nem aniversários, nem Dia das Mães, nem Natal etc., o que, convenhamos, é uma delícia.

DIREITOS DE UMA AVÓ

Não saber o dia dos aniversários dos netos, com a desculpa de que está esclerosada.

Não ir aos aniversários dos netos; aniversários infantis são traumáticos, e ouvi falar que existem alguns até com animadores. Será que o Juizado de Menores sabe disso?

Dar presentes apenas dentro do possível, sempre preferindo guardar o dinheiro para fazer uma viagem; os netos têm a vida pela frente, as avós não.

Não dar nenhuma sugestão sobre o nome do bebê que vai nascer, e se os pais disserem que vai ser Euphrasia, aplaudir com entusiasmo.

Depois de uma tarde com os netos, na volta para casa, passar por uma banca de jornais e comprar três cigarros avulsos, já que deixou de fumar; quando chegar, acender um, enquanto prepara um grande gim tônica, na paz do lar. E, se for o caso, o segundo e o terceiro (a mãe da rainha da Inglaterra tinha sempre uma garrafa de gim debaixo da cama, e morreu com 101 anos).

Não se sacrificar pelos netos, a não ser em caso de necessidade, lembrando que eles têm a vida pela frente, elas não.

Não puxar assunto ou se manifestar com os netos via redes sociais. Avós são sempre um mico.

E saber que é normal, apesar de ninguém dizer, que a visão de um monte de netos pode levar a uma certa melancolia, porque é inevitável que pensem — mesmo sem pensar — que eles têm a vida inteira pela frente, e elas não.

Nós, avós, adoramos nossos netos, filhos dos nossos filhos, mas eles dão muito trabalho e querem atenção de todos o tempo todo; são espaçosos e também barulhentos, além de serem a prova viva de que o tempo está passando, o que não tem a menor graça.

E já que falei tanto sobre a família, fique sabendo que toda família normal é meio torta, e se a sua for muito certinha, alguma coisa deve estar errada.

DEVERES DE UMA SOGRA

Adorar as noras e os genros (no exercício do cargo) mesmo que seja tudo fingimento; depois da separação, dá pra ficar amiga.

Jamais telefonar para noras e genros.

Jamais ficar amiguinha.

Jamais perguntar aos filhos como vai o casamento; essa pergunta é considerada invasão.

Jamais se oferecer para nada, mas deixando claro como é boa e generosa, disposta a qualquer sacrifício pelas crianças.

Jamais ir à casa dos filhos, a não ser quando convidada com insistência; bancar a preguiçosa que não gosta de sair de casa, mas se for, não ir à cozinha nem abrir a geladeira.

Elogiar efusivamente a nova decoração.

Jamais sugerir trocar o sofá de lugar.

Jamais convidar os filhos para almoçar ou jantar com as(os) respectivas(os), só os três.

Guardar a distância regulamentar de três ou quatro bairros — e mudar-se para mais longe, se for o caso. Tem a piada: nunca tão perto que possa ir de chinelos, nem tão longe que precise fazer uma mala.

DIREITOS DE UMA SOGRA

Nenhum.

a liberdade, finalmente

Solteira, recém-separada ou com os filhos já tendo saído de casa, você vai entrar em uma nova etapa de vida: morar sozinha, pela primeira vez. Que emoção.

Ou você tem grana para se instalar, ou a família ajuda, ou vai se mudar com um colchão, uma geladeira e uma televisão, o que, diante da felicidade de ser dona da sua vida, é mais do que suficiente.

Vai ter que aprender um monte de coisas: encarar um supermercado só comprando coisas bem fáceis, tipo iogurte, pão de forma, Polenguinho ou queijo fatiado — para não sujar a faca e ter que lavar —, frutas fáceis, como tangerinas, maçãs e uvas; biscoitos, Coca-Cola, e não muito mais que isso. Nem pense em coisas que precisam de panela, frigideira, gordura. Macarrão parece simples, mas é complicadíssimo: tem que ter escorredor, manteiga, sal, pimenta-do-reino, queijo ralado, e ainda saber quando está *al dente*; afinal, você não se mudou para brincar de casinha, mas para ser independente e não ter nenhum problema, só os que não pode evitar.

Em compensação, compre os melhores sabonetes, espuma para banho, todas as frescuras para o banheiro, e que você nunca teve, por infinitas razões — mãe, marido, filhos etc. Certas coisas, só morando só.

Se você é sozinha, tem alguma grana, e pode morar bem, é difícil encontrar o apartamento dos seus sonhos. Em Nova York você tem à escolha apartamentos de quarto e sala com metragem razoável, alguns até com dois banheiros, e closet, ai, como é bom ter um. No Brasil, quem quer morar só, com algum conforto, tem que comprar um apartamento de dois ou três quartos e derrubar as paredes, para ter uma sala maior — e os arquitetos nunca ouviram falar em armários. Eu demorei, mas descobri que, para mim, basta um bom quarto e sala para ser feliz, e se você sucumbir a um pequeno dúplex, que a escada tenha corrimão; escada sem corrimão é um charme, mas não faz parte da vida real.

Morando só, você às vezes vai se sentir fraca alguns dias, por ter passado muito tempo sem comer, e vai ter que ir correndo a uma lanchonete para não desmaiar na rua, mas depois se acostuma a comer só às vezes. Está provado que as pessoas comem muito mais do que precisam, e com o passar dos anos deve-se comer cada vez menos, você sabia?

Se ainda não está instalada, cada amiga ou amigo que for conhecer sua casa deve levar um presente, mesmo modesto, e quando você começar a se habituar a convidar quem quer, na hora que quer, ver televisão até três da manhã, e a geladeira passar dias vazia, sem ninguém pra reclamar, vai se sentir a mulher mais feliz do mundo.

Mas não pense que a liberdade só tem vantagens. Quantas vezes você acorda num sábado sem saber o que fazer; se quiser pode pegar um avião para passar o fim de semana em Salvador (depois do Carnaval, claro), ou almoçar em Petrópolis, ou ir ao cinema, qualquer coisa, e pensa em como seria bom ter alguém que sugerisse o que fazer e fosse junto. Liberdade é bom, mas não é fácil lidar com ela. Poder tudo: tem coisa mais difícil? E por melhor que seja ser dona absoluta do seu nariz, às vezes bate uma solidão tão grande que você daria tudo no mundo para estar com aquele namorado chato que dispensou, para que telefonasse aquela prima que não tem nada a ver, para não se achar tão só no mundo.

Nesse dia em que você não quer saber nem de namorado, nem de filhos — nem eles querem saber de você —, e não acha a menor graça em cuidar dos netos, já que é imatura e tem cabeça de adolescente, faz o quê? Uma boa ideia: ligue seu computador e escreva. Ah, você não sabe? E nem precisa. Comece contando como foi seu dia, o que você viu na rua, a que horas chegou, o que leu no jornal, o que achou do que leu no jornal. Depois se aventure, mesmo abagunçadamente, a contar umas coisas da infância. Todo mundo tem ou teve uma tia no mínimo curiosa, e mais a mãe, o pai, as comidas, como era a casa, enfim, vá escrevendo, sem pensar se está bem-escrito, se as crases estão no lugar certo, só escreva. Daqui a cinquenta ou cem anos, uma bisneta vai abrir o computador, encontrar o que você escreveu e adorar. E não faça isso só um dia, faça todos, como se fosse um diário, porque escrever faz muito bem a quem escreve. Você não adoraria ler o diário de sua bisavó? Mas tem que contar tudo, tudo mesmo, senão, qual a graça?

Pense bem antes de tomar certas decisões, tipo morar sozinha e ser livre, pois todas as decisões implicam riscos.

Um deles é você se acostumar, e nunca mais querer morar com ninguém.

regras
básicas
para curtir
sua nova
juventude

Evite sair com casais, sobretudo com casais felizes. Se estiverem quase se separando, e brigando muito, deve.

Se pintar o assunto idade, vá retocar sua maquiagem; se falar da dos outros, vão acabar falando da sua, o que deve ser cuidadosamente evitado.

Demorou, mas as pessoas enfim aprenderam que não se pergunta a idade de ninguém, muito menos das mulheres; aí, para saber, vão por outros caminhos. Perguntam a idade dos filhos, e até dos netos; a resposta a essa indesculpável indiscrição deve ser: "Esqueci."

E pense sempre assim: tenho um espelho para ver que não pareço ter a idade que tenho, e cabeça para, contrariando tudo o que se diz, não admitir, jamais, que tenho um dia a mais que 35 anos. Tão bom contrariar tudo o que dizem, e brincar com as coisas chamadas sérias.

Seu novo namorado já vem com filhos, claro; aliás, nada mais complicado do que um namoro em que um tem filhos e o outro não... Não costuma dar certo. A não ser que vocês se casem e constituam uma família, pouca intimidade, e sobretudo, jamais, jamais, uma censura, uma crítica, um conselho. Ser uma segunda mãe para os filhos dos outros não costuma dar certo — e eles já têm uma.

Quem tem mais grana, você ou ele? Se for você, atenção para não transformar aquele homem tão simpático em um rapaz que vive às suas custas. Algumas mulheres não se importam, mas sei lá. Se você mora sozinha, tem um trabalho legal e sofre às vezes de uma certa solidão, cuidado. Eles são profissionais do assunto — aliás, só deste.

E começam mansinhos; têm uma profissão meio vaga, ligada às artes visuais, o que significa que não têm emprego fixo — nem salário, claro, nem domicílio; estão sempre procurando um apartamento, e enquanto não encontram, um dia estão na casa de um amigo que viajou, no outro na casa da mãe, no outro na casa da ex, com quem têm, aliás, uma excelente relação. Resumindo: é um eterno hóspede.

Ele vai se instalando aos poucos, e nem passa pela cabeça dela que está sustentando mais um. Não se sentindo mais tão só, fica feliz com aquela companhia que usa o sabonete dela, o xampu dela, a gilete para fazer a barba, o desodorante, a água-de-colônia, ainda sabe fazer uma massinha, e se for preciso até desce para comprar cigarros. Uma garrafa de uísque sempre tem na casa, uma de vinho branco na geladeira também, e como eles são prestativos, habilidosos, e conhecem um pouco de eletrônica, qualquer problema eles resolvem. O tintureiro fica mais caro, o supermercado dobra, mas ela nem percebe, tão boa está a vida. Dure o tempo que durar, ela só tem que ficar atenta para não dar a ele, jamais, a cópia da chave da casa. Jamais mesmo. E só por curiosidade: e se ela for pobrinha e casar com um homem rico, ele dá uma mesada? Um cartão de crédito com limite? Ou, quando ela quer, pede um vestido novo? Muito complicada essa história de dinheiro, é bom mesmo que os dois trabalhem e cada um tenha o seu.

E pense que você talvez seja velha demais para ter um senhor que te ajude, mas jovem demais para sustentar um gigolô.

Se depois de algumas intimidades ele disser que é bi, pergunte, de maneira bem natural, sobre suas experiências, com que frequência etc. E tire da cabeça que vai transformá-lo, com seu amor. Ou você o aceita como é, ou um dia vai entrar em competição com outro homem — e vai perder, claro.

Ficar nua, quando não se é mais uma deusa, pode ser um problema, mas um problema contornável. Os arroubos sexuais devem acontecer, de preferência, na sua casa, onde você tem mais chances de se sair bem; se precisar se levantar para ir ao banheiro, o robe — lindo — já deve estar ao lado da cama, os produtos de maquiagem a postos, a escova de cabelo, o *blush*. E ninguém precisa transar com as luzes acesas, como se estivesse num palco da Broadway; um discreto abajur no chão pode ser de grande ajuda, para que ele te ache a mulher mais deslumbrante do mundo.

Uma mulher solteira deve ter um exército gay sempre em posição de sentido para qualquer emergência: dar o ombro, em caso de abandono, inventar uma maquiagem inacreditável, descobrir alguém no dia de Natal para botar um *megahair* ou pintar seu cabelo de vermelho —, eles sempre sabem de uma cinta fantástica que vai te transformar numa sílfide, ou emprestam uma gola de plumas, uns brincos que vão até o ombro, sei lá. Não se pode viver sem ter pelo menos cinco amigos gays, é questão de sobrevivência. É bem verdade que depois que o STF deu a eles igualdade de direitos civis, logo logo todos estarão casados, mas sempre existirão aqueles que nos amam de paixão e que também são muito amados por nós.

E quando seu quase ou já namorado perguntar quantos namorados você teve, a resposta deve ser sempre a mesma, e sem hesitar: "Três, incluindo você."

Tenho uma amiga que era apaixonada por um homem; um dia ele a pediu em casamento, ela aceitou, radiante, e foi sincera: "Só não me peça para ser fiel." Os dois foram muito felizes até que um dia ele morreu, e ela ficou muito triste com sua morte. Agora, só para brincar: você já traiu alguém, aquela traição bem básica, seu marido ou seu namorado? Seja qual for a resposta, não conte para ninguém, e pelo sim, pelo não, negue sempre.

COISAS QUE UMA MULHER CONTEMPORÂNEA DEVE SABER

A mulher pode tudo, como sempre: chorar, fazer escândalo, chamar a polícia, qualquer coisa, desde que com certo charme. Mas se sentir uma coceirinha nas costas, desmaie, faça qualquer coisa, mas não se coce, nunca, jamais.

Pergunta: Quando um homem convida uma mulher para sair pela primeira vez, ela deve se oferecer para rachar a conta, ou se fingir de morta? Se não se oferecer, corre o risco de o homem achar que namorá-la vai sair muito caro e é melhor partir para uma moça mais moderninha.

Resposta: É bom a gente se oferecer para rachar SEMPRE, e se ele não deixar, aquela mesma conversa: "Mas é só hoje, ou não saio mais com você." A não ser que ele seja despudoradamente rico, claro.

Teste: Como você gostaria de ser lembrada pelo seu ex? Com um distante "ela era maravilhosa, cozinhava com perfeição", ou com um irado "não falem dessa mulher perto de mim"? São duas as opções.

Ou faz como uma amiga minha, que foi convidada para jantar por um pretendente a namorado; como ela tinha o dom de saber cozinhar, disse: "Por que você não vai jantar lá em casa?" Essa história teve um final feliz, e eles estão casados há trinta anos.

Ou faz como as mais estilosas que não dizem, jamais, que sabem cozinhar. E quando sabem não dizem, nem sob tortura.

Seduzir? Claro, o tempo todo. As mulheres, aliás, nasceram para isso, quer se trate de homens, crianças, o jornaleiro, o garçom, do restaurante, o mecânico do carro, o cachorro, o gatinho.

Ele pediu um tempo? Não dê. Não dê nem 24 horas, essa história de "tempo" é conhecida, e quem começa a compreender muito o namorado acaba sem ele. Sem falar que existem sinais inequívocos de que chegou a hora de procurar outra turma, ou melhor, outro namorado. Ele pediu um tempo e você não tinha percebido nada? Se não tinha, é bom se ligar para o próximo, e se tinha, já era para estar a quilômetros de distância, porque nenhuma mulher, com um mínimo de brio, fica com um homem que não a ame apaixonadamente.

E nem precisava falar, mas vou: nada de discutir a relação. Discutir a relação e os ciúmes são coisas da década de 1970, sai dessa.

COISAS QUE UMA MULHER CONTEMPORÂNEA DEVE FAZER

- Estar sempre impecável e cheirosa.
- Ter os dentes em perfeita ordem.
- Esquecer sua idade — e a dos outros.
- Estar sempre com um pequeno problema, para deixar os filhos em paz.
- Estar sempre apaixonada por qualquer coisa, tipo um homem, a nova decoração da casa, a próxima viagem, ou muito, muito ocupada, para não infernizar a vida dos mais próximos.
- Nunca dar más notícias; como tem gente que adora, deixe essa função para elas. Tem gente que fica com raiva de quem levou a má notícia.

• Procurar não viver, 24 horas por dia, ligada na tomada. Não se pode ser desligada para todas as coisas, mas para outras, sim. E se conseguir, vai descobrir que a felicidade ainda existe.

• E tomar a decisão de se recusar a ouvir, de qualquer pessoa, coisas que te desagradem. Já dizia Vinicius: "Prefiro ouvir mentiras que me agradem a verdades que me desagradem."

COISAS QUE UMA MULHER CONTEMPORÂNEA DEVE EVITAR

• Bebidas fortes. Aos 18 existe a desculpa de não estar acostumada a beber, só que na madrugada a maquiagem vai escorrer, e se estiver de salto, pode tropeçar. Bebidinhas, só as leves.

• Se fazer de engraçadinha com os amigos dos filhos. Amigos dos filhos são como os padres, usam saia — usavam, aliás.

• Esquecer, quando estiver sentada, de manter os joelhos sempre juntos. E se tiver as pernas mais para o roliço, não as cruzar jamais.

• Ter a ilusão de que a privacidade ainda existe. Você é filmada o tempo todo em todos os lugares públicos e estabelecimentos comerciais, então a ordem é caprichar no visual e ver se não faz bobagem.

mas vale a
pena

Tá tudo muito bom, a vida muito melhor, parabéns, belo século XXI, mas algumas coisas, nunca mais, uma praia deserta no Nordeste ou na Grécia só para você, fumar um cigarro sem culpa, beber champanhe de manhã, acordar em Itaparica e ouvir o pescador gritando "olha o peixe, o camarão, a lagosta, a lambreta, tudo fresquinho, acabado de pescar", comprar uma roupa de Saint Laurent desenhada por ele — não por um costureiro contratado pela empresa que comprou a marca YSL —, tomar banho de mar à noite com a praia vazia, e até arriscar tirar o biquíni dentro d'água (tomando cuidado para não perder) — que delícia —, entrar no banco e não ter que passar por uma porta giratória e seguranças olhando desconfiados, estar com trinta anos no tempo pós-pílula e pré-aids, engordar três quilos e ser elogiada por estar mais cheiinha, assistir, nas noites de domingo, à mesa-redonda do futebol, com João Saldanha,

Nelson Rodrigues e Armando Nogueira, decidir fazer uma viagem e embarcar sem nenhum tumulto, porque vai sempre ter lugar no avião, comprar o Pasquim às quintas-feiras, acordar e pegar o jornal para ler as colunas de Zózimo, Rubem Braga, Fernando Sabino, Paulinho Mendes Campos, Vinicius de Moraes, Carlos Drummond de Andrade, Carlinhos de Oliveira, ir à noite para o Antonio's e ficar até o dia clarear rindo e falando bobagem com Zózimo, Rubem, Fernando, Paulinho, Vinicius, Carlinhos, e mais Tarso de Castro, Chico Buarque, Tom Jobim, Di Cavalcanti, às vezes até Glauber, tudo normal, sem um só fotógrafo aparecer, sair de madrugada de uma festa em Ipanema e ir para casa a pé, sem medo de nada, pegar a estrada sem risco de engarrafamento, ir ao Maracanã ver Garrincha jogar, e ver o milésimo gol de Pelé, e ver Baggio perder o pênalti no final da Copa de 1994, e ver Romário levantar a taça do Tetra, e passar o verão inteiro descalça na Pituba, numa Salvador que ainda não estava na moda, sem um só turista, e ficar de oito da noite à uma da tarde do dia seguinte na avenida Presidente Wilson — sem camarotes nem camisetas nem credencial — para ver as escolas de samba desfilarem, e ir ao cinema e deixar o carro com as janelas abertas, e não ter nenhuma responsabilidade, e sobretudo ir, sem pensar, para onde a vida nos levava — como era bom. Não ter mais nada disso é triste? Um pouco, mas, em compensação, quem não resolver morrer, vai poder viver daqui a trinta, quarenta, cinquenta anos num admirável mundo novo onde tudo será diferente, e, quem sabe, muito melhor. Vamos imaginar como será esse mundo, sempre pensando em nosso futuro.

O FUTURO SEMPRE VEM

Um dia você vai ler nos jornais que a medicina, aquela mesma que proibiu a gema de ovo, porque aumentava o colesterol etc. etc., depois de anos pesquisando, descobriu que a nicotina faz bem aos pulmões, e aconselha todas as pessoas, desde a infância, a fumar pelo menos vinte cigarros por dia, o chocolate emagrece, as frituras acabam com a celulite, carnes gordas fortalecem o coração, frango só com pele, açúcar, quanto mais melhor, o café da manhã deve ser sempre uma fatia de bolo de chocolate com cobertura idem, e uma Coca-Cola normal — a light faz mal —, água, um copo por dia, no máximo. "A humanidade está três drinques atrasada", disse Humphrey Bogart em 1950, e continuou: "Se Stálin e Truman tomassem três drinques agora, o mundo não precisaria da ONU." Como homenagem a Bogart, a humanidade será obrigada a tomar três doses de bebida — não mais — todos os dias, antes do almoço, para que viva, permanentemente, dez centímetros acima do nível do mar, assim as pessoas vão ficar mais divertidas, mais gentis, mais suaves, mais alegres, mais leves, mais bem-humoradas, a vida melhor, os homens vão parar de brigar por bobagens, os donos dos bancos vão dizer que como já são muito ricos nunca mais vão cobrar juros, e o planeta será o verdadeiro paraíso; você imagina o presidente de um país, depois de tomar três caipirinhas, declarando uma guerra?

Mas não pense que nesse maravilhoso mundo novo vai poder tudo; algumas coisas serão terminantemente proibidas, por fazerem mal à saúde. A primeira delas será fazer qualquer tipo de ginástica, ter em casa bicicleta ou esteira para se exercitar, e o filtro solar passará a ser tarja preta, só vendido com receita. Nos cuidados com a alimentação, haverá um grande rigor: legumes e saladas serão considerados venenos de consequências fatais, mas como a humanidade gosta do que é proibido e adora transgredir, um dia você vai ver, na capa da *Veja*, que uma mulher foi parar na UTI de um hospital por ter comido brócolis cozido no vapor, sem sal, acompanhado de um copo de vitamina de açaí, beterraba e cenoura.

O casamento será banido, e a união estável, tolerada, com moderação. Com um ano de coabitação o casal pagará uma multa equivalente a trinta salários, no segundo ano o valor subirá para sessenta salários, e havendo persistência no crime, os acusados serão processados. Haverá um grande movimento contra a discriminação dos héteros, com direito a passeatas de homens de terno e gravata, e mulheres vestidas de pretinho básico e pérolas. Afinal, é preciso aprender a conviver com as diferenças.

Vamos ter saudades das passeatas alegres e coloridas do passado, mas sem nunca perder a esperança: em mais cinquenta ou cem anos elas poderão estar de volta exatamente como agora, fumar nos bares voltará a ser proibido, andar oito quilômetros por dia, aconselhado para ter uma boa saúde, e assim será, por todos os tempos, as coisas entrando e saindo de moda, mas no fundo tudo sempre igual, amém.

Ou não. A tecnologia chegou com tal força que não há quem possa adivinhar como será o mundo não daqui a cinquenta anos, mas daqui a dez, e que bom. Um futuro cheio de surpresas é sempre a melhor coisa, e para festejar a vida, vou sair agora para dar um mergulho no mar.

Editora responsável
Cristiane Costa

Produção
Adriana Torres
Ana Carla Sousa

Produção editorial
Flávia Midori

Revisão
Mariana Freire Lopes
Rosana Alencar

Projeto gráfico
Leandro B. Liporage

Diagramação
Celina Faria

Este livro foi impresso no Rio de Janeiro,
em março de 2013, pela Edigráfica para a Agir.
A fonte usada no miolo é Electra LH, corpo 11,5/17.
O papel do miolo é offset 75g/m², e o da capa é cartão 250g/m².